中学生から使える

# 東大女子のノート術

## 成績がみるみる上がる教科別勉強法

著
みおりん
MIORIN

エクシア出版

# プロローグ

わたしが初めて東大を意識したのは、高校1年生のときでした。

地元の県立高校に入って最初の進路希望調査。第1志望から第3志望まで志望校を書けと言われて、「就職するかもしれないのに、なんで大学に行くことが前提なんだ」とよくわからない反抗心を抱いたわたしは、**「学校名を知っているから」**という理由だけで第1志望の欄に東京大学と書いて提出してしまいました。

わたしが謎の反抗心を抱いていた理由は、単に思春期でトガっていた（？）のと、もう一つは、わたしの育った家庭では大学進学が当たり前ではなかったからです。

両親は主に家庭の経済的な事情で大学進学がかなわず、それぞれ高卒・専門学校卒で社会に出る道を選ばざるを得ませんでした。

よく東大生というと、「裕福な家庭で高学歴かつ教育熱心な両親に育てられた人たち」

のようなイメージを持たれることが多いのですが、わたしの家庭はずいぶんここからはみ出ています。

その後、嘘から出たまことのような形で志望校を東大にすることを決定したのですが、もともと要領が悪く勉強もあまり好きではない（やらなくてすむならありがたい）わたしは、**高3の東大受験では圧倒的な大差で不合格となってしまいました。**それまでの模試の判定もほとんどがDやEだったのだから当然です。

とっても落ち込みましたが、どうして落ちたのかははっきりわかっていました。それは「やるべき勉強を、正しい勉強法でおこなうことができなかった」から。わたしは**工夫や情報収集が足りず、効率の悪い自分流の方法でがむしゃらに勉強してしまっていた**のです。

2度目の受験では、塾や予備校などに通わない**自宅浪人（宅浪**（たくろう）**）**という方法を選びました。そのため、なんとかして自分に合った正しい勉強法を見つける必要がありました。わたしはとにかく本やインターネットで勉強法に関する情報を読みあさり、1年間ほんとうにありとあらゆる方法を実践しました。

その結果、翌年は1年を通して模試で好成績を残すことができ、東大にも無事合格。「自分たちの無念が少しでも救われた気がする」と両親が言ってくれたことが、いまでもいちばんの支えです。

そんなこんなで東大生になれたわたし(いまだに東大ですというと変な感じがするけど)はこの苦労を活かして、大学時代から勉強法に関するブログやYouTubeの動画を作ったり、学習サポートの個人サービスを運営したりしてきました。そのなかで多くの中学生や高校生、ときには小学生や大学生・社会人の方とふれあっていますが、こんなご相談をいただくことがよくあります。

**「勉強ができるようになりたいけれど、自分は頭が悪いです。どうすればいいでしょうか」**

これに対するわたしの答えはひとつです。あなたの頭は悪くない。悪いのは「勉強法」です。そう、現役受験生時代のわたしと同じ。自分に合った効率的な勉強法を見つけられていないから結果が出ず、時間をかけて勉強したのにダメだった自分は頭が悪いんだと勘違いしてしまうのです。

では、自分に合った効率的な方法で勉強するにはどうしたらいいのか。

まずは勉強法の基本を押さえることが大切です。たとえば暗記科目は一度ではなく何度も反復したほうが覚えやすいことや、英語は単語をしっかりマスターするのが第一であることなどは基本といえます。

次に、勉強法の工夫をいくつか試すことです。勉強法には、先ほどのみんなに共通する「基本」以外に、人それぞれ向き不向きの出る部分というものがあります。わかりやすいものでいうと、「手で書いて覚えるvs読んで覚える」みたいなやつです。「手で書いて覚えるのは非効率！」と叫ぶYouTubeの動画を観たと思ったら、「暗記はとにかく書きまくれ！」と主張するブログ記事を見つけて混乱した、という経験がある人もいるのではないでしょうか。

これはどちらも間違っておらず、読んで覚えることも、書いて覚えることも、人によって、あるいはケースによっては効率的な勉強法なんです。勉強はダイエットと同じでさまざまなやり方があるので、自分に合っているかどうかは実際に試してみるのがいちばんです。

勉強法の工夫の部分でわたしが特に試行錯誤をしていたのは、**ノートの使い方**でした。ノート術は中高生時代から極めつつあり、自宅浪人をしていたときも、高校の授業ノートが役に立ったので予備校に頼らずにすんだ、ということさえありました。

みなさんは、ノートをどのように使っていますか？

「どう使っていいかわからない」

「きれいなノートをとりたいけどできない」

「ノートまとめをしたいけど効率が悪そうで迷う」

など、いろいろな悩みがあると思います。

ノートは、使い方次第で勉強の効率を二段も三段もアップさせてくれるアイテムです。これを使いこなさないのはとってももったいない。しかも、**一度ノートの使い方をマスターすれば、大学生や社会人になってからも勉強やお仕事の効率を上げることができます。**

ということで、この本では中学生から大人まで使える勉強法の基本といえるいくつかの大切なポイントと、効率的な勉強に欠かせないノートの使い方についてご紹介していきます。５教科それぞれについて、実際にわたしが試して効果の感じられた方法やコツをお伝えしますので、「これは取り入れられるかも」と思ったものがあればぜひ参考にしていただけたらと思います。

# 中学生から使える 東大女子のノート術 成績がみるみる上がる教科別勉強法 目次

Part. 2

## 最高の勉強ツールを作ろう！ ノート術の超キホン

Part. 3

# 定期テストから受験まで！教科別勉強法＆最強ノートの作り方

## 英語のノート勉強法　62

## 数学のノート勉強法 78

## 国語のノート勉強法 96

## 理科のノート勉強法　118



## 社会のノート勉強法　134

## Part. 4 みおりんがお答え！ 勉強法＆ノート術お悩み相談

# Part.1 最初に押さえよう！ 勉強法の5つのキホン

勉強法にはいろいろなものがありますが、中には必ず押さえておきたい基本もあります。まずは大事な5つの基本を知っておきましょう。

# 勉強のキホン① 自分のごきげんをとろう

勉強というものは、学生の間だけではなく、大人になっても生涯必要となるもの。そんな勉強を、「つまらない」「苦行」と思ってしまうのはほんとうにもったいないことですよね。

では、楽しく勉強するためにはどうしたらいいのか？　必要なのは、自分を知り、自分のごきげんを上手にとることです。

## 自分を知ろう

自分のごきげんをとるために、まず必要なのは**「自分を知る」**ということ。自分の「取扱説明書」を持っておくと、上手に勉強できるようになります。ここからはぜひ適当なノートやメモ用紙を用意して、次のようなことを書き出してみてください。

◇モチベーションが上がるのはどんなとき？

**自分のやる気の出るタイミングや、自分の好きなこと**を知っておくと、勉強でのモチベーションアップに応用することができます。たとえばわたしなら、

・おいしいコーヒーを飲みながら勉強しているとき
・ごほうびを目指して勉強するとき
・気に入った文房具を買ったとき
・好きな音楽を聴いているとき
・海を見て心を充電したとき

……といったときには、「よし、がんばろう！」という気持ちになることができます。

◇モチベーションが下がるのはどんなとき？

反対に、**自分のやる気が落ちてしまうとき**も知っておきましょう。たとえばわたしの場合、やる気が下がってしまうのはこんなときでした。

・長時間の勉強や苦手科目の勉強に取りかかろうとしているとき
・静かなところで勉強するとき
・お昼まで寝てしまって、絶望しながら勉強に取りかかろうとしているとき

こうしたことがわかっているとそれぞれについて対策を立てたり、なるべくそういう状況を避けるようにしたりすることができます。ぜひ一度書き出してみてください。

## ◇集中力は何分もつ？

自分の勉強の集中力がどの程度もつのか、ということも把握しておきたいポイントです。その時間をもとに、適切な一日の勉強スケジュールを組むことができるからです。

ちなみにわたしはまったくもって集中が苦手なタイプで、大学受験生時代もいまも、きちんと「集中しているな」と思えるのは20分程度しかありません。しかたがないので、20分スパンで勉強内容を変えたり、集中しなくてもできる勉強を考えたりと工夫しています。

また、**自分が集中しやすい時間帯**を知っておくことも大切です。早朝が集中できる！

という人もいるでしょうし、午後になるとパワーが出てくる！　という人もいると思います。これも人それぞれなので、いろいろ試して自分にとってのベストを見つけましょう。

ここまでのことを書き出すと、わたしの場合こんな感じになります。

〈みおりんの取扱説明書〉

★モチベーションアップのヒントは、おいしいコーヒー、ごほうび勉強、お気に入りの文房具や音楽、息抜きで海を見ること、なるべく短時間で勉強すること、静かなところで勉強しないこと、朝は寝坊しないようにすること

★集中力がもつのは、だいたい20分くらい

★集中力がアップするのは、だいたい夜の時間帯

## ごきげん勉強の作戦を立てよう

このように自分について知ることができたら、ごきげんに勉強するための作戦を立てま

しょう。わたしの場合だと、ごきげん勉強のポイントはこんな感じです。

〈みおりんの勉強作戦〉

★勉強するときには、手もとにおいしいコーヒーとお気に入りの文房具を用意し、好きな音楽を流す

★カフェなど、少し雑音のあるところで勉強する

★苦手科目は得意科目でサンドイッチするようにして、得意と苦手を交互におこなう

★集中力のもつ20分を1セットとして、短時間に区切って勉強を積み重ねる

こんなふうに、自分がなるべくストレスなくできる勉強方法を考えてみてください。

## みおりんのおすすめ！ 自分キャンペーン

ごきげん勉強の方法で一つご紹介したいのが、わたしが東大受験生時代にやっていた**「自分キャンペーン」**です。

これは、短い期間を定め、集中的に勉強をがんばるというもの。目標の勉強時間や勉強

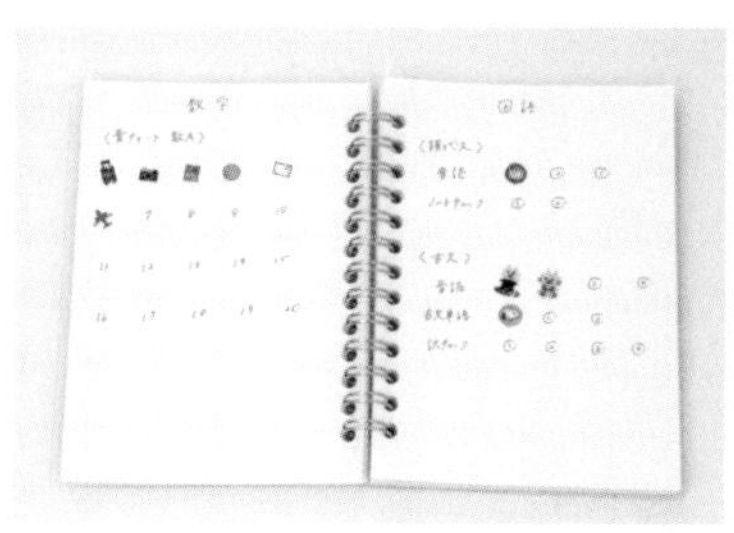
テスト前の「やることリスト」を
そのままシール帳に。

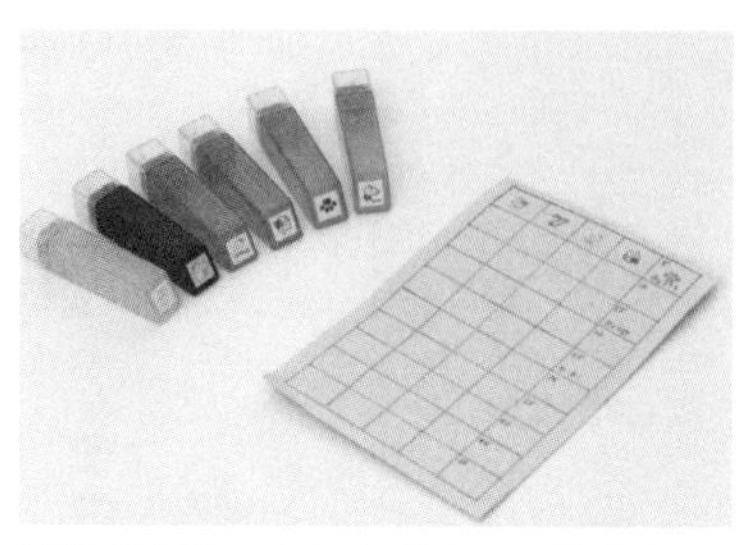
１時間勉強すると１ポイント貯まる、
手作りスタンプカード

量に応じて、テンションの上がるごほうびを決めておくのがおすすめです。

短期間でおこなうことから、わたしはこれをキャンペーン感覚でときどき実施していました。

たとえば、勉強時間やこなしたタスクに応じてポイントを貯め、貯まったポイントをごほうびと交換する「ポイントキャンペーン」。お店のポイントカードのように、事前に「何ポイント貯まったらこれをする！」というのを決めておきます。ポイントは、「1時間勉強したら1ポイント」のように時間で区切ってもいいし、「この単語カードを1周やったら1ポイント」のようにタスクで区切ってもOKです。自分のやりやすいルールを決めてみましょう。

わたしは**スタンプカードやシール帳**を作り、ポイントをコツコツ貯めていました。

# 勉強のキホン② くり返しを大切に！

すべての教科の勉強の基本として大切なのが「くり返し」です。

一度授業を受けただけ、一度参考書を読んだだけですべてを覚えることができる人はいません。何度も反復して学習することで、理解が深まったり、記憶が定着したりします。

**問題集を使ったくり返し学習の基本的なやり方**をご紹介するので、お手持ちのものでぜひ実践してみてください。

**1周目** 印をつけながら解いていく

問題集を用意したら、まずはひととおり解いてみます。このとき、次のように印をつけながら進めることがポイントです。

・間違えてしまったもの→「×」
・間違えそうになったもの、うろ覚えだったもの→「△」

**2周目** 1周目で印のついたものを解く

**2周目は、1周目のときに印のついたものだけを解いていきます。**1周目と同様、印をつけながら進めましょう。このとき、1周目とは違う色のペンを使うと、1周目に間違えたものなのか、2周目に間違えたものなのかがわかって便利です。

**3周目** 2周目で印のついたものを解く

**3周目は、2周目のときに印のついたものだけを解いていきます。**このときも同様に、1周目・2周目と違う色のペンで、同じルールにしたがって印をつけていきましょう。

この方法はつまり、自分の解けないものや苦手なものを「ろ過」するようにしてだんだん減らしていくということです。印のつくものが少なくなるまで何周かおこないます。

## ◇何度も印のついたものをノートにまとめる

3周以上やっていると、印が何度もついてしまうもの、つまり何度も間違えてしまう問題がわかってくると思います。それは自分にとって苦手な問題といえるので、これを取り出して苦手だけをまとめたノートに書き込んでいきましょう。

詳しいノートの作り方はPart2でご紹介するので、参考にしてみてくださいね。

4．東欧・バルカン諸国の動揺とイタリアのファシ

1 a．1919年，ソヴィエト政権を樹立したが，軍人やル
ニア軍の侵入で打倒された革命は何か。

b．革命圧殺後，1920年からハンガリーで王政を復活
摂政となり，独裁体制を続けた軍人は誰か。

2 a．チェコスロヴァキアの独立運動を指導し，初代大
となった政治家は誰か。

b．1935年，同国の第2代大統領となった政治家は誰

3 ポーランドの独立を指導し，クーデタで1926年から独
制を固めた政治家は誰か。

4 a．大戦後にイタリアで出現し，恐慌後にドイツでも
した，議会制民主主義を否定する独裁政治は何か。

b．1919年，ミラノで創設されたファシズム政党は何

c．この党を創設した政治家は誰か。

d．1922年，彼は何を行って政権を獲得したか。

e．1926年，他の全党を解散させて確立した体制は何

f．この政党の最高議決機関だったが，1928年正式に
の最高議決機関となったものは何か。

5 a．1924年にイタリアが併合した，アドリア海北岸の
はどこか。

b．1926年，イタリア

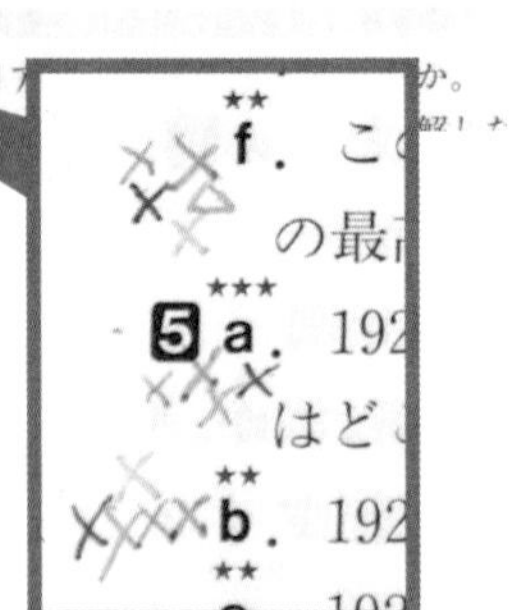

ペンの色を変え、印のついたものを何度も解きます。

# 勉強のキホン③ 適切な参考書を選ぼう

勉強に使う参考書はとても大切なもの。わたしは高校時代までフィーリングだけで参考書を選んでしまっていたのですが、この選び方は間違っていたことに気づきました。フィーリングで選んでしまうと、「レイアウトがきれいなだけで、内容の薄い参考書だった」「自分の志望校の傾向には合っていなかった」ということがしばしば起きてしまうのです。

参考書だけを使って勉強する自宅浪人の一年を過ごしたわたしがおすすめする、**正しい参考書の選び方**をご紹介します。

## ❶合格体験記に載っている参考書を選ぶ

受験を意識している人は、自分の志望校に合格した人が使っていた参考書を使うことが大事です。各学校にはそれぞれ試験の傾向があり、合格者が使っていた参考書はそれにマッチしていると考えられるからです。本やブログ、YouTubeやSNSなどで合格者の声を探してみましょう。

## ❷ Amazonなどの商品レビューを参考にする

合格体験記が見つからない場合や、受験でなく普段の勉強用の参考書を探している場合には、Amazonなどの商品レビューを見てみるのもおすすめです。

すべてのコメントを鵜呑み（うの）みにはできませんが、真剣に書かれた口コミはある程度参考になるはずです。コメント数と★の数がともに多いものは、いい本の可能性が高いといえます。

## ❸ 最後まで迷ったらフィーリング

ここまでのことを実践し、それでも「AとB、どちらの参考書にしよう？」ということがあると思います。

しっかり調べた上で複数の候補が残った場合には、フィーリングで決めてかまいません。「この参考書のほうがごきげんに勉強できそう！」と思ったものを選んでみてください。

# 勉強のキホン④無計画に勉強しない

効率的に勉強するためには、適切な計画を立てることも大切です。特に範囲の広い受験勉強や定期テストでは、無計画に勉強してしまうと試験日までにやるべきことが終わらないという悲惨（ひさん）なことになってしまいます。

ここでは、わたしが自宅浪人時代に確立した、崩れない勉強計画の立て方をご紹介しましょう。

**勉強計画STEP①** やるべきことを書き出す

まずはやるべきタスクをリストアップします。受験や学校のテスト対策でも、長期休みの課題をこなすときでも同じ。**試験範囲や課題の内容を見て、それに対応する参考書のページなどを書き出します。**

### 勉強計画STEP② 時間を計って解いてみる

次に、STEP①でリストアップした各タスクについて、実際に時間を計って何度かやってみます。これは崩れない勉強計画を作る上で、いちばん大切なポイントです。

たとえば「歴史の教科書を音読する」と決めたら、実際に何ページか音読してみます。このときにかかった時間と、その時間で進んだページ数（や問題数）を記録してみてください。「30分の音読で20ページ進んだ」みたいな感じです。

そして、自分が一度にできる「1セット」を決めましょう。「30分の音読だと疲れてしまうけれど、1回15分ならできそう」ということなら、教科書音読の1セットは「15分で10ページ」ということになります。

### 勉強計画STEP③ スケジュールに落とし込む

STEP②で各タスクについて1セットを決めたら、日々のスケジュールにパズルのようにはめこんでいきます。受験生の場合は、年間のスケジュールと、1日単位のスケジュールの両方を作成するのがおすすめです。

# 勉強のキホン⑤ 勉強記録をつけよう

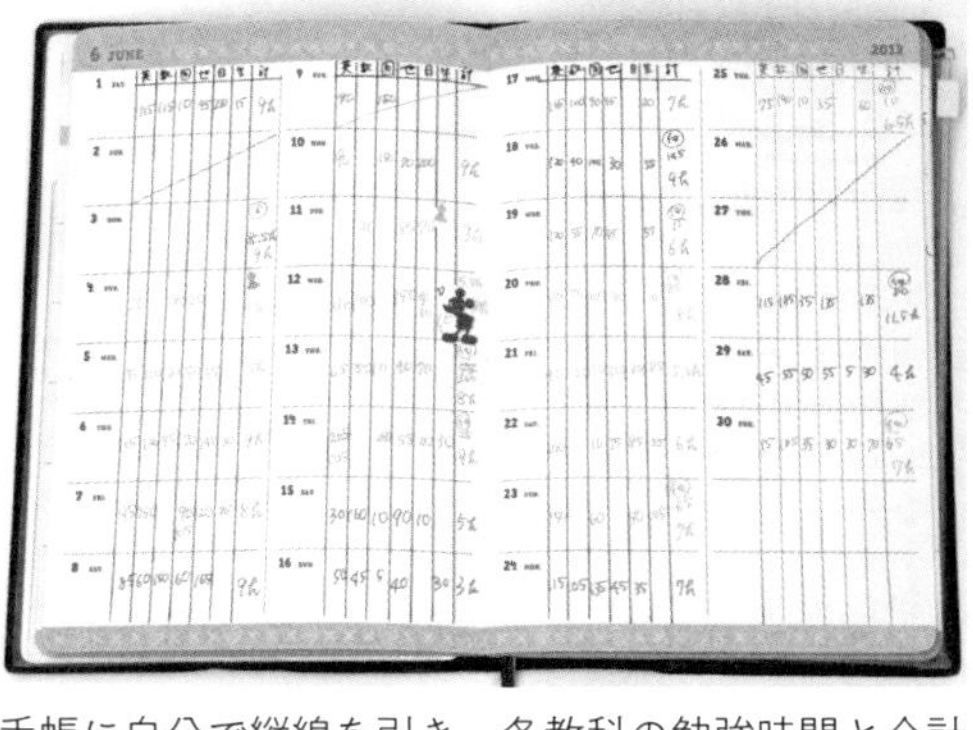

手帳に自分で縦線を引き、各教科の勉強時間と合計の勉強時間を記録。

勉強の記録をつけておくことは、効率的な勉強をする上でも、継続して勉強をする上でも大切です。よく、「ダイエットを成功させるためには毎日体重を量るといい」と聞きませんか？　勉強も同じで、**常に自分の現状を把握しておくことで、モチベーションを保ったり、軌道修正をしたりしながら進めることができる**んです。

タイマーや勉強記録アプリを用意して、**教科ごとの勉強時間**を記録してみましょう。わたしは一日の終わりに、上の写真のように手帳に勉強時間をまとめていました。

# モチベーションが上がらないときの7つのヒント

勉強をしていると、どうしてもやる気が湧(わ)かないときがありますよね。
Part1 では「自分キャンペーン」をご紹介しましたが、
それ以外で簡単に試せる7個のヒントをご紹介します。

### ヒント1 やる気が出ない原因を紙に書いてみる

考えられる理由を書き出すと、「意外と友だち関係の不安のせいかも」などと気づけることも。

### ヒント2 まず10分勉強する

なにごとも、取りかかりがいちばん大変です。まずは10分だけ勉強してみると、意外と惰性(だせい)でつづけられたりします。

### ヒント3 Wishリストを作る

「テストや入試が終わったらやりたいこと」を書き出すと、少し気持ちがすっきりします。

### ヒント4 勉強場所を変える

カフェや図書館はもちろん、お風呂の中や廊下など、家の中でもいつもと違う場所を探して気分転換してみて。

### ヒント5 新しい文房具や参考書を買う

気持ちを新たにすることで、モチベーションアップにつながります。

### ヒント6 志望校のパンフレットを読む

受験生の人は、目指している学校のパンフレットを見るとテンションが上がるかも。

### ヒント7 教科書や参考書にかわいいカバーをかける

やる気が出ない教材には、お気に入りのキャラクターなどの包装紙でカバーをかけてデコレーション。

覚えておいてほしいのは、「勉強ができない自分はダメな人間だ」などと思う必要はないということ。**「勉強しなきゃ」と思う気持ちがあるだけでも素晴らしいことです。**まずはそんな自分を褒めてあげ、その上で自分に合ったモチベーションの上げ方をじっくり探していきましょう。

Part.2

最高の
勉強ツールを作ろう！

# ノート術の超キホン

「ノートは先生の板書を書き写すだけでいい」「ノートはただのメモ」と思っている人も多いかもしれませんが、そんなことはありません。ノートはやり方次第で最高の勉強ツールになるアイテムなんです。ここでは、みおりんが中高生時代を通して確立した、全教科に使えるノート術をご紹介します。

# ノートはなんのためにとるの？

わたしは、ノートをとる目的は大きく分けて3つあると思っています。

## ①自分の頭の中を整理するため

このあとお話ししますが、ノートにはさまざまな「種類」があります。それぞれのノートには目的や効果があるのですが、そのすべてに共通のポイントもあります。それがこの「自分の頭の中を整理する」ということ。

ノートというのは、勉強した内容や頭の中にあることを文字や図などの形にする場所です。学習内容が自分の中でしっかり整理できていればノートもわかりやすく作ることができるし、ノートにアウトプットする過程で頭の中を整理することもできます。正しいノート術を身につけることは、物事を整理して考える力（思考力）を身につけることにつながります。

この「物事を整理して考える力」は、じつは**大人になってからもものすごく役立つ力**です。これをマスターしていると、たとえばお仕事で重要なポイントをわかりやすく資料にまとめたり、簡潔で伝わりやすいプレゼンテーションをしたりすることができるようになります。

身につけておけば、勉強だけでなく普段の思考の仕方にも役立つのがノート術なのです。

## ②授業の復習に役立てるため

みなさんは、学校の授業でなぜノートをとるか考えたことはありますか？

授業ノートはただの板書メモではありません。いちばんの目的は、「**あとで授業の復習に役立てるため**」。

授業を一度聴いただけですべてを記憶できてしまうならかまいませんが、普通はそうはいきませんよね。授業ノートの役割は、その場だけでは暗記や理解をしきれなかった授業内容を、あとから復習するときのために保存しておくことです（授業で配られるプリントのメモでも同様です。ちなみにわたしの通っていた中学校にはノートというものが存在せず、すべてプリントを中心に授業がおこなわれていました）。

## ③自分の苦手を克服するため

3つめの目的は、自分の苦手を克服する手立てにすることです。

勉強をしていると、教科書にワーク、参考書に問題集……と使う教材がたくさんありますよね。そして、たとえば「この参考書は○ページの部分が苦手、こっちの問題集は△ページの問題でいつも間違えちゃう」というようなとき、復習する際に各教材をいちいち引っ張り出してくるのは効率的とはいえません。これは勉強だけでなく、あらゆることにあてはまるコツなのですが、「情報を一カ所にまとめておく」ことはとても大切です。

**自分の苦手な問題や単元を一つのノートにまとめておけば、復習のときはそのノートを見返すだけですみます。**これがいわゆる「まとめノート」の役割。市販の教材と違い、完全に自分用にカスタマイズされた内容にすることができるので、効率的に苦手の克服ができるんです。

# ノートのとり方10のコツ

すべてのノートに共通して使えるコツを10個お伝えしたいと思います。

## ❶見出しを整える

1つめのコツは、ノートの「見出し」を整えるということです。

これは頭の中を整理する上でとっても大切なポイント。見出しを整えるとどれくらい見やすくなるのか、ちょっと比べてみましょう。

次ページの写真右側のノートはどこにどういう情報があるか、すぐに探せませんが、左側のノートはひと目で情報が頭に入ってきますよね。このように**事前に決めておいたルールにしたがって見出しをつけると、情報が整理される**ようになります。

見出しあり

見出しなし

## 2 余白はたっぷりとる

「余白」をとるというのも大事なポイントです。

もったいないからといって白いところがなくなるくらいページを文字で埋めつくす人がいますが、それをしてしまうと、どうしても見にくいノートになってしまいます。そんなノートでは効率的な勉強ができず、かえってもったいないなぁとわたしは思います。

余白を作っておくと、かなりすっきりと見えますし、あとから知ったことをメモとして書き加えることもできます。

## 3 ペンの色の意味を決める

3つめのコツは、使うペンの色の意味を決めておくということです。

思いつくままにいろいろなペンを使ってしまうと、カラフルすぎてどこが重要なのかわからず、復習に使うのには

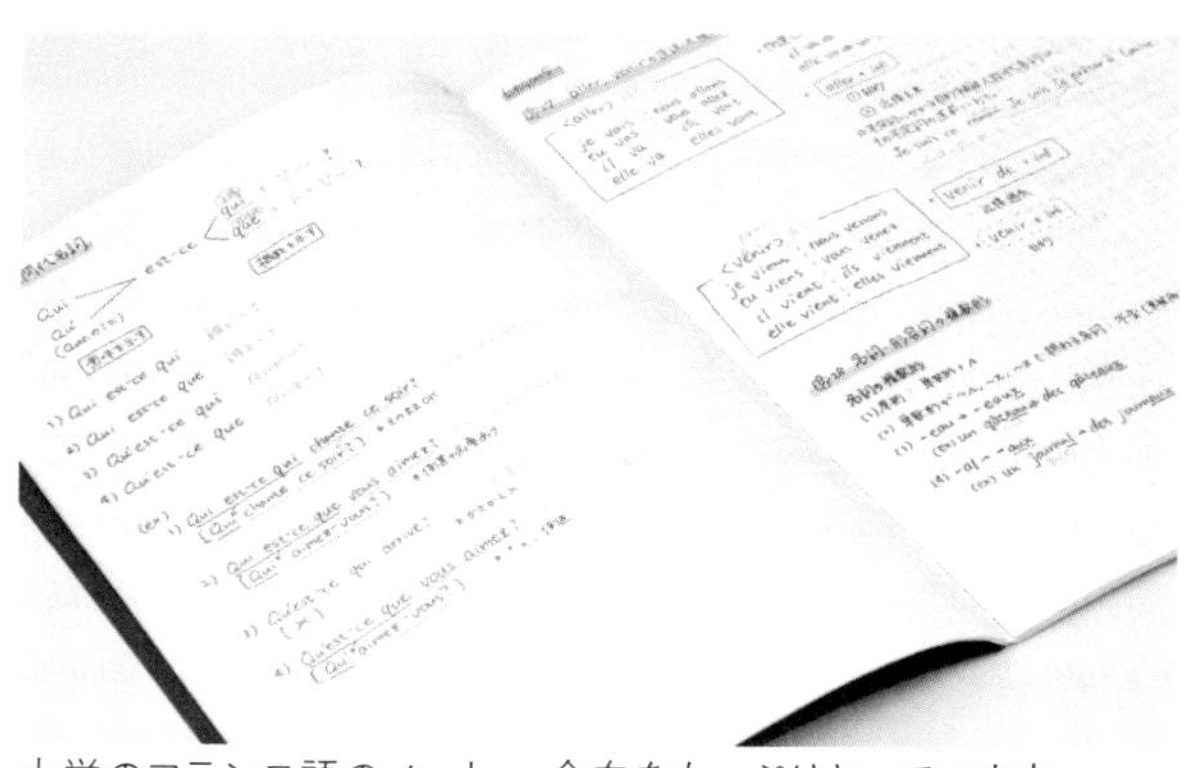

大学のフランス語のノート。余白をたっぷりとっています。

まったく向かないノートになってしまいます。

そうなることを防ぐために、事前にペンの色に意味をもたせておくようにしましょう。たとえば、わたしは次のように意味を決めていました。

- 赤……先生の解説のうち、初めて知ったこと
- 緑……先生の解説のうち、すでに知っていたこと
- 水色……単語や熟語の意味
- 青……日本語訳の直しやその他のメモ

このようにルールが決まっていれば、復習でノートを見返すときにも「時間がなかったら赤ペン部分だけを見る」など、工夫して効率的な勉強をすることができます。色ペンの本数はなるべく最低限に絞り、それぞれに意味を決めるということを徹底してみてください。

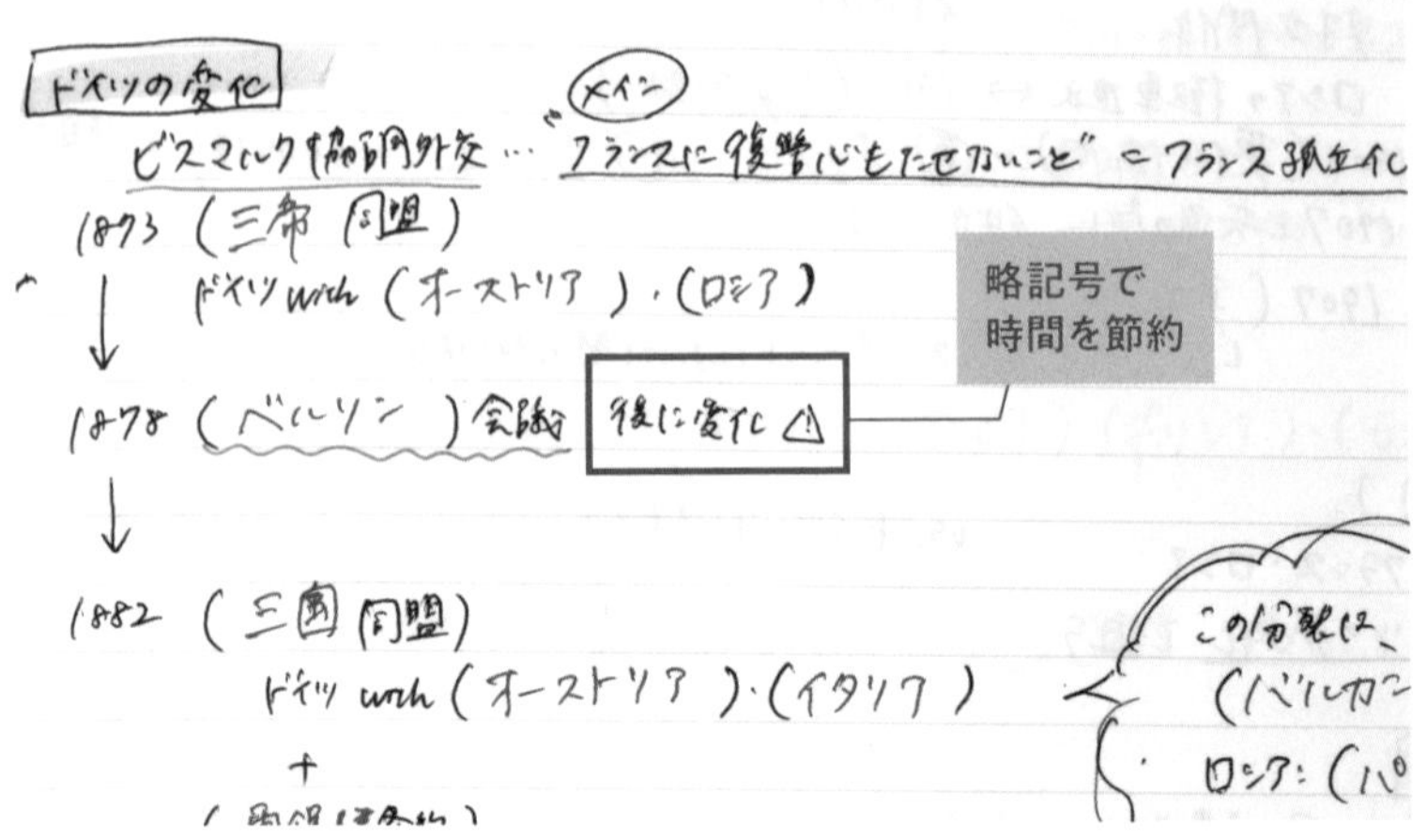


## ④ 略記号を決める

授業でも家庭学習でも、**素早くノートをとれるようにしておくことは限られた時間で勉強をする上でとても大切なスキルです。**そのために、自分なりの略記号を決めておきましょう。

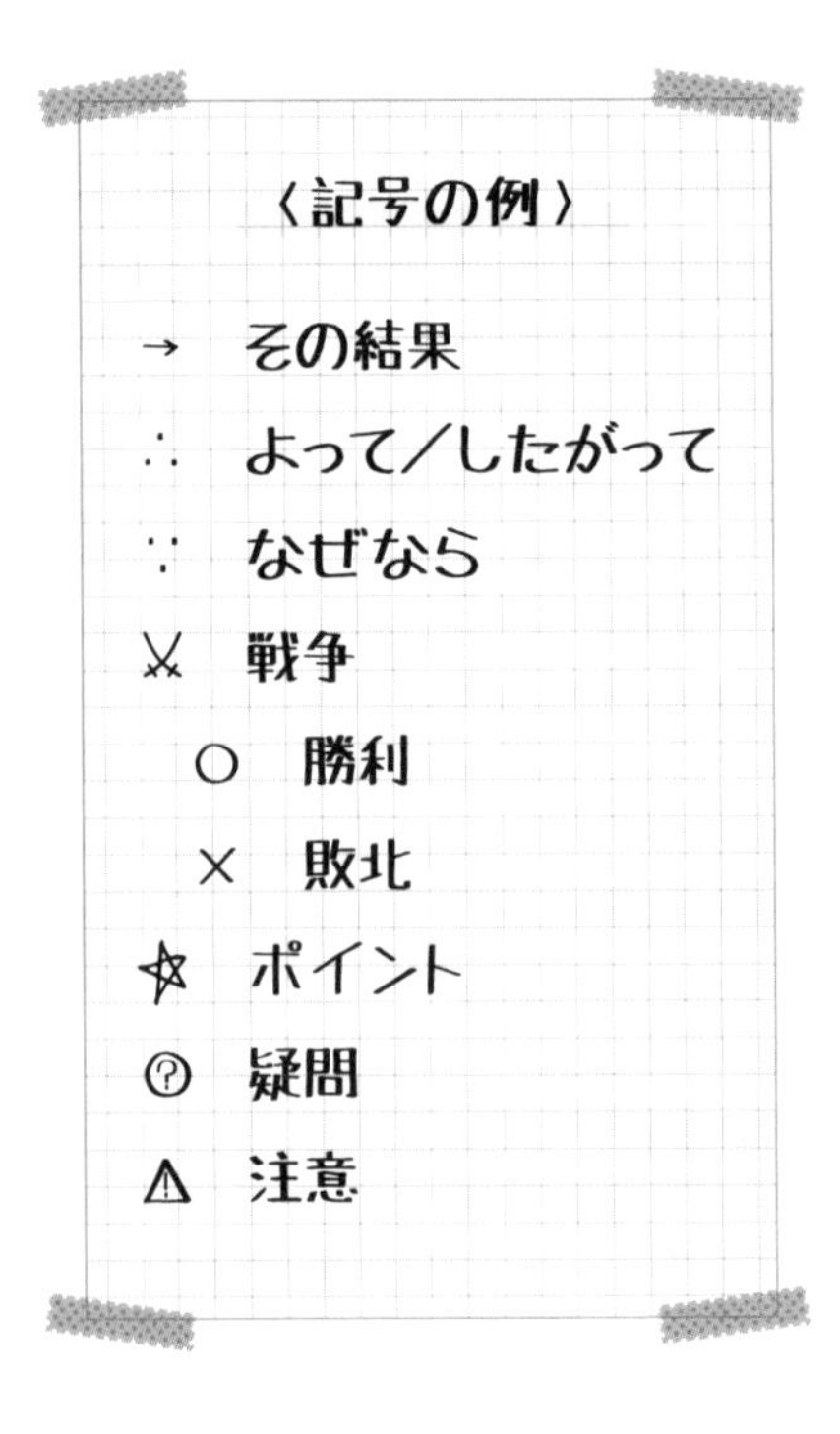

〈記号の例〉
→ その結果
∴ よって／したがって
∵ なぜなら
⚔ 戦争
○ 勝利
× 敗北
☆ ポイント
? 疑問
⚠ 注意

たとえばこちらはわたしの世界史のノートですが、ベルリン会議のところに「後に変化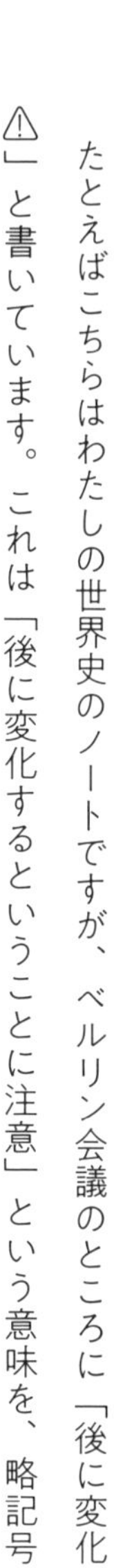」と書いています。これは「後に変化するということに注意」という意味を、略記号を使うことで短く表しています。

このほか、わたしは右ページ下の表のように記号の意味を決めていました。

こうすることで、たとえばわざわざ「ポイント！」と書かなくても「☆」だけで表せるので時間短縮ができたり、因果関係を「↓」などで表すことでビジュアル的にもわかりやすいノートにすることができました。

## 5 イラストや図を入れる

イラストや図を積極的に活用することもおすすめです。

文字だけだとどうしてもわかりづらかったり、見づらかったりすることがあると思います。特に理科の実験や観察、社会の地図が関係するものなどは絵で表したほうがわかりやすいですよね。

**イラストは上手である必要はありません。**わたしも変な棒人間しか描けませんが、自分

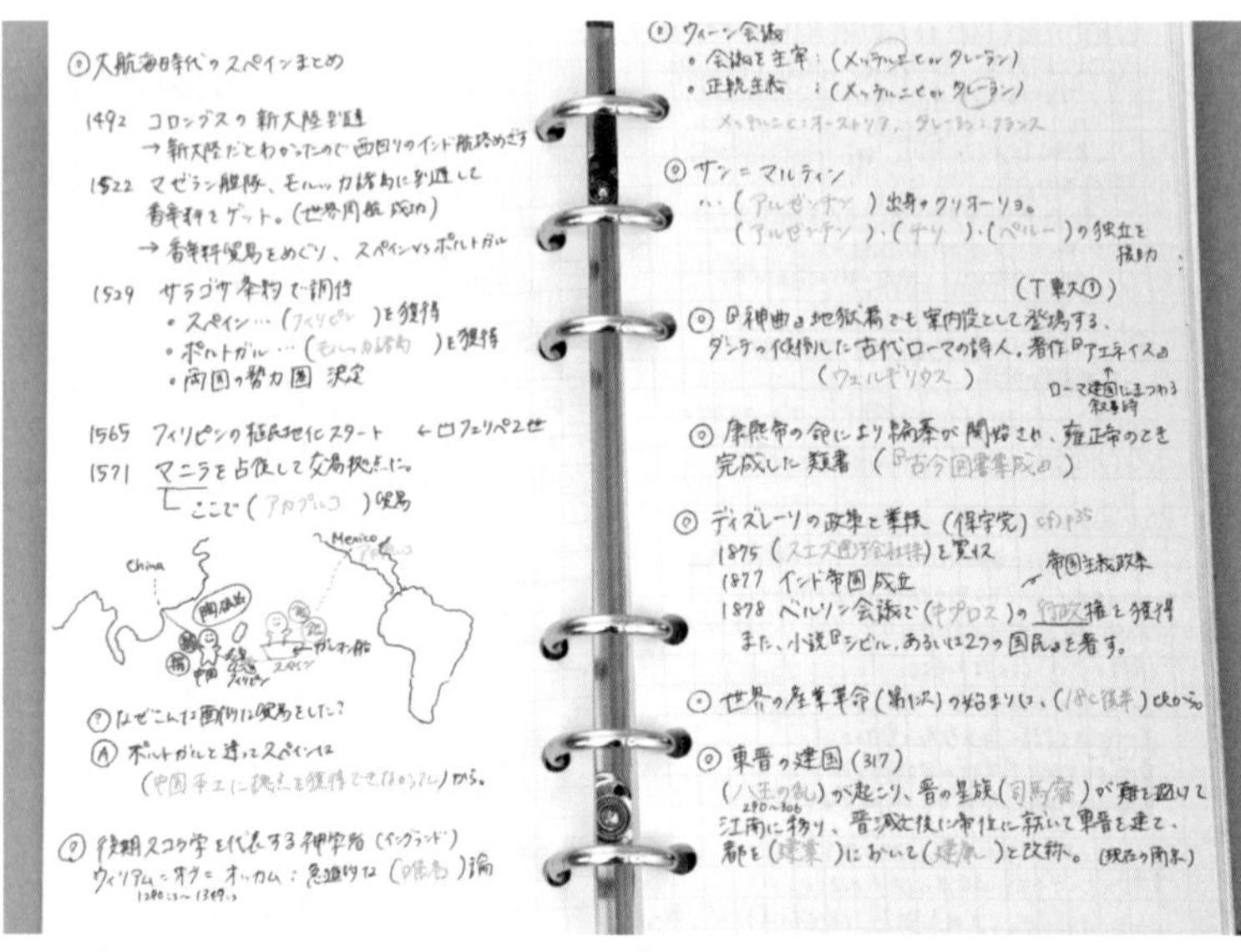


オリジナルのイラストでわかりやすく図解したノート。

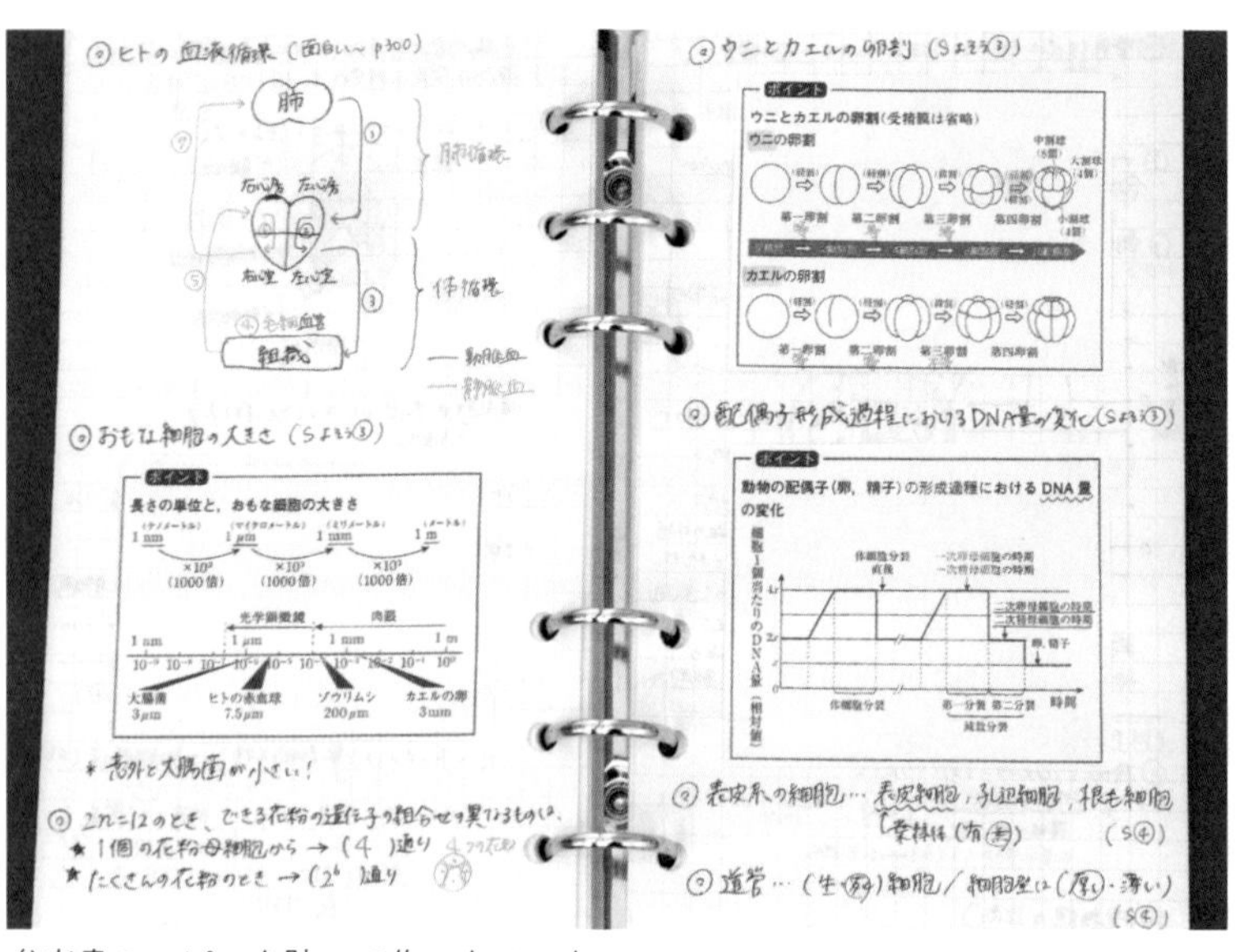


参考書のコピーを貼って作ったノート。

さえ理解できれば大丈夫なので気にせず描いていました。

## 6 コピーを活用する

自分で絵や図を描けないものは、教科書や参考書からどんどんコピーをとりましょう。

ノートはあくまで勉強のための**「ツール」**なので、ノート作りに長い時間をかける必要はありません。コピーしたほうが早いものは右ページ下の写真のように貼り付けてしまうのがおすすめです。

## 7 インデックスシールを使う

知りたい情報にすぐたどり着けるようにするための工夫も必要です。

ノートにはたくさんのことを書くので、あとから「○○のことについてノートを確認したい」と思っても、それがどのページに載っているのか見つけられない……といったことになりがちです。

そこでおすすめなのが、**インデックスシールを使う**こと。たとえばわたしの高校時代の

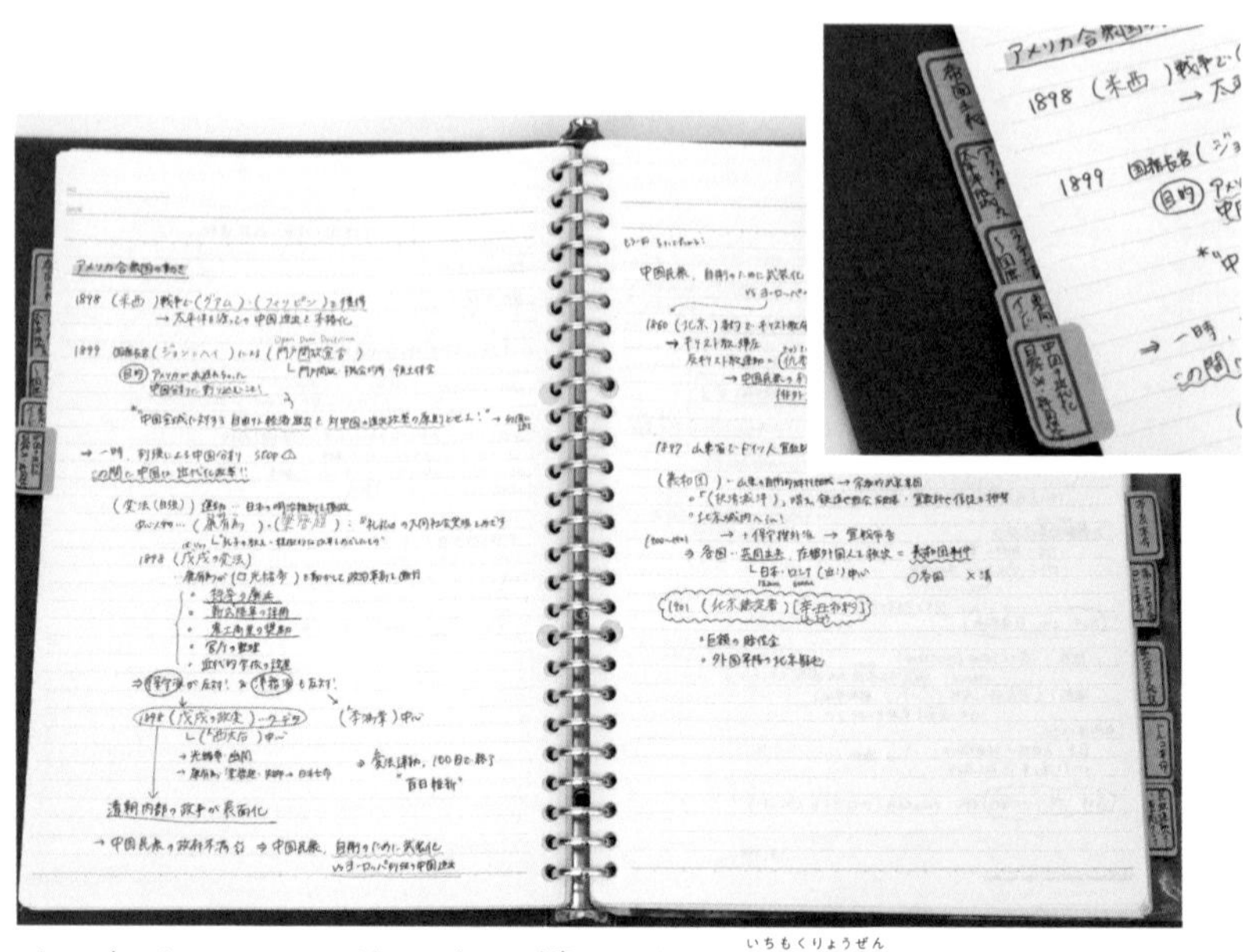

インデックスシールでどこになにが書いてあるか一目瞭然に。

世界史の授業ノートは、こんなふうになっていました。

このように、インデックスシールに単元の内容を書いておくことで、復習したいときもすぐ該当のページに飛ぶことができます。ぜひ活用してみてください。

## 8 覚え方を書く

**自分のためだけにカスタマイズできる**のがノートの醍醐味。単なる味気ないメモではなく、自分なりの暗記方法や覚え方を加えたオリジナル教材にしてしまいましょう。

わたしは自分で考えた変な語呂合わせを書き込んでいました。意味のわからないものや

くだらないものほど、意外と覚えやすかったりもします。ぜひいろいろと工夫してみてくださいね。

## 9 先生の雑談もメモする

９つめのコツは、授業中の先生の雑談もメモをとることです。

ポイントは、**授業の本題と直接関係のないことであってもメモする**ということ。もちろん一言一句書きとる必要はないのですが、先生のお話で印象的だったことやおもしろかったことはぜひメモしてみてください。

これはなぜかというと、あとからノートを読み返したときに授業の光景を思い出しやすくなるからです。授業の光景を思い出せると芋づる式に授業内容も思い出すことができ、記憶や暗記の効率をアップさせることができます。わたしは先生のおやじギャグや小噺（こばなし）なども書き込んでいました。

## 10 自分の感情も残す

最後のコツは、自分がそのときに思ったことや考えたことも書き込むということです。

自分なりに「これってこういうことかな」と思ったことや、問題を解いたときに感じた気持ちなどを書いてみてください。

これも記憶に残りやすくするためにとても有効で、「あのときこう思ったんだった！」という取っ掛かりは結構役立ちます。

「上弦(じょうげん)の月と下弦(かげん)の月をいつも間違えちゃう。ややこしい！」「徳川家康、めっちゃ福耳！」など、なんでもいいので思いついたときにどんどん書き込んでいってください。

# ノートには4つの種類がある

さて、ひとくちに勉強のノートといっても、ノートにはさまざまな種類があります。まず、大きく分けると**「学校で使うノート（授業ノート）」**と**「自宅で使うノート（自学ノート）」**があります。そして、わたしは自学ノートを3種類に分けていたので、授業ノートと合わせて4種類のノートを持っていました。こんな感じのイメージです。

①（学校）授業ノート
②（自学）演習ノート
③（自学）自分専用「問題集」ノート
④（自学）自分専用「参考書」ノート

## ❶授業ノート

授業のメモをとるノートです。板書メモや先生の雑談、自分が授業中に思ったことなどを書き込みます。プリント中心の授業では、授業プリントへの書き込みでもかまいません。

## ❷演習ノート

問題集などの問題をひたすら解くときに使うノートです。あとから読み返すことを目的とせず、自分の答えを書いて丸つけをする、完全にアウトプット専用のノートです。

## ❸自分専用「問題集」ノート

教科書や問題集の問題を解くなかで特につまずいてしまった問題や、テスト・模試などで間違えてしまった問題をまとめるノートです。自分が苦手な問題だけを集めます。

## ❹自分専用「参考書」ノート

なかなか理解できないポイントや、よく混乱してしまうポイントなどをまとめるノートです。③は解き直し用ですが、④は読み返し用の、いわゆる「まとめノート」です。

# みおりんオリジナル！　ＡＢＣノート勉強法

４つのノートをご紹介してきましたが、わたしは自学用の②～④のノートを、

・演習ノート⇩「**Ａノート**」
・自分専用「問題集」ノート⇩「**Ｂノート**」
・自分専用「参考書」ノート⇩「**Ｃノート**」

と名づけ、３つ合わせて「ＡＢＣノート勉強法」と呼んでいました。（ちなみにＡＢＣのそれぞれに意味はなく、なんとなくそう呼んでいただけです。もっといい名前を考えればよかったかも……？）

次のページからは、ＡＢＣノートの基本的な作り方をご紹介します。ＡＢＣいずれのノートも一冊に全教科をまとめてしまうのがポイントです。

# Ａノート（演習ノート）の作り方

Ａノートは、ただひたすら問題を解くのに使うアウトプット用ノート。教科別に分けるとノートの数が増えてしまうので、一冊にまとめてしまいましょう。

## Ａノートにはなにを書く？

Ａノートは学校に提出するもの以外のすべてのアウトプット学習に使うので、どんな問題集の問題を解いてもＯＫです。英単語や漢字など、とにかく書いて覚えるときの書き殴り用として使ってもかまいません。

また、自分の解答だけを書けばよく、問題を書き写す必要はありません。ペンも基本的には**シャーペン（鉛筆）と赤ペン**だけあれば大丈夫です。

### ◇おすすめはリングノート

Ａノートに特におすすめなのはリングノートです。一般的な罫線入りのリングノートが最も使いやすいと思います。

リングノートは折りたたむと場所をとらなくなるので、解くための問題集と並べて机の上に広げる際にとても便利です。わたしは昔からよくリングノートを使っています。

また、家で勉強することが多い人には少し厚めのノート、外で勉強することが多い人には少し薄めのノートがおすすめ。厚めのノートはすぐには使いきらないので管理するノートの冊数を増やさなくてすみますし、薄めのノートは軽くて持ち運びに優れています。自分の環境や好みに合わせて選んでみてくださいね。

## Aノート作りの手順

◇ページ番号と問題番号を書く

問題を解く際には、その問題集の**問題ページ番号**、**問題番号**を書いておきましょう。これを抜かしてしまうと、このあと丸つけをするときに不便になってしまいます。

◇問題を解き、自分の解答を書く

問題に対する自分の答えを書いていきます。問題文を書き込む必要はありません。

また、このときできれば解答と解答の間は少し空けるようにしましょう。そうしておけば、採点をして間違えた問題の正答を余白に書き込むことができます。

### ◇丸つけをし、答えを直す

解き終わったら、解答・解説を見て丸つけをしましょう。

間違った問題にはバツをつけ、正しい答えを余白に書き込みます。ただ写すのではなく、「なるほど」と理解してから書くようにしてください。自分の答えと見比べ、**「なにが違っていたのか」「なぜ間違えてしまったのか」**ということを考えるのが大切です。

Aノートは解くためだけのノートなので、このようにしてどんどん使っていけば完成です。Aノートの束ができるくらいたくさん勉強すると、実力にも自信にもつながります。

また、Aノートに解いたもののうち、もし何度も間違えてしまう問題やどうしても歯が立たない問題、苦手だなぁと感じる項目などがある場合には、BノートやCノートにまとめるようにしましょう。まとめ方はこのあとご紹介します。

### ◇使いきったら日付を書いて保管か写真撮影

ノートを使いきったら、表紙に「Aノート No．1（4月10日～5月30日）」のように**使用開始日と終了日**を書き込みましょう。そして通し番号順にAノートを並べて保管するスペースを作っておくと、日々の学習のモチベーションにつながります。

ノートが増えすぎて保管が難しいという場合は、使い終わったノートの写真を撮っておくのもおすすめ。実物でも写真でもかまわないので、くじけそうなときや大事な試験が近づいてきたときに、「こんなにノートを使うくらい自分はがんばったんだから大丈夫」と思えるお守りのような存在になってくれますよ。

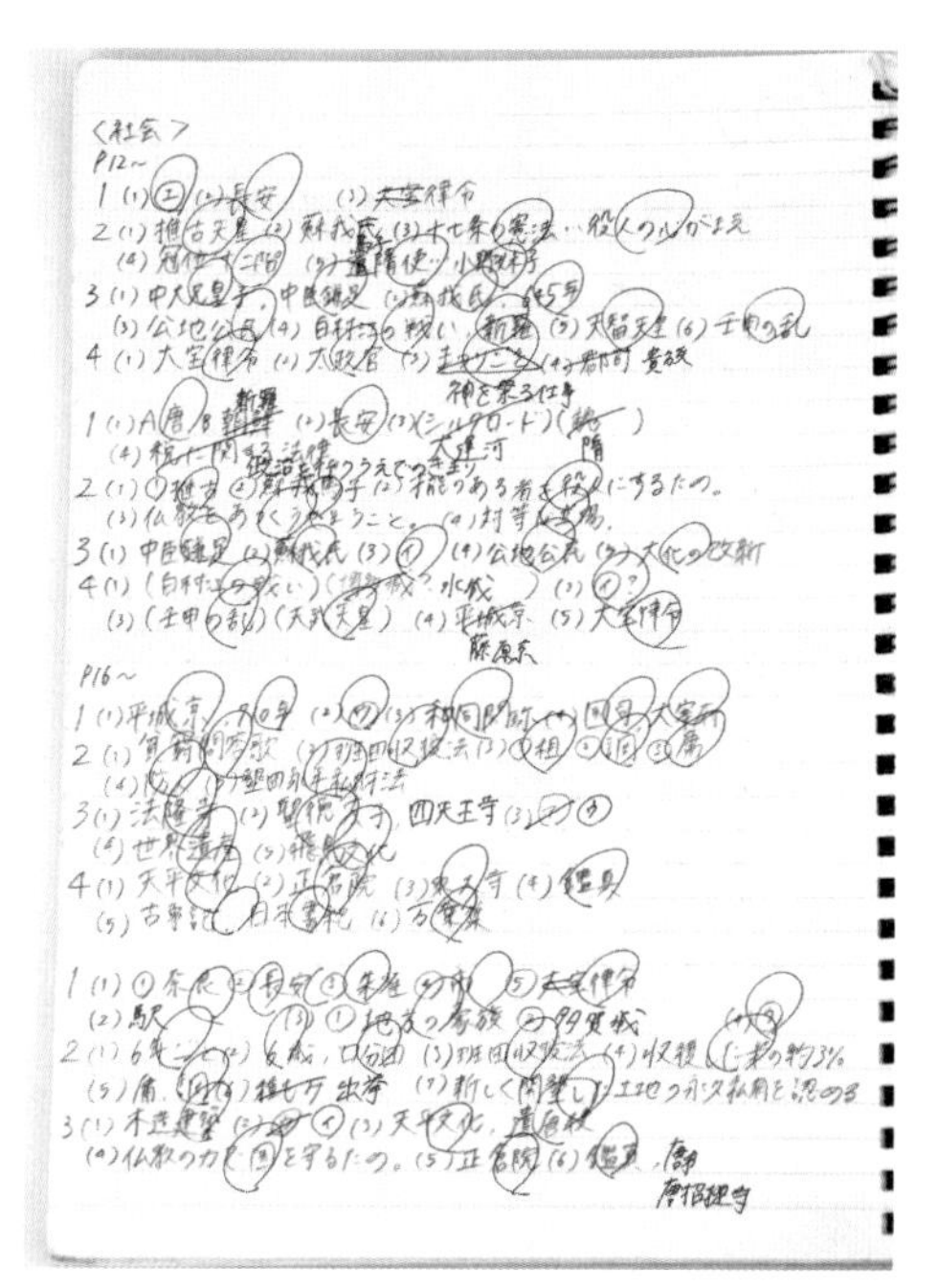

Aノートでは、ひたすら問題を解いて丸つけをします。

## Bノート（自分専用「問題集」）の作り方

Bノートは、自分のためだけに問題と解説をまとめる「自分専用問題集」ノート。市販の問題集と違い、自分にとってのわかりやすさにこだわることを意識しましょう。また、Aノートと同じく、**全教科を同じノートにまとめてしまいましょう。**

### Bノートにはなにを書く？

Bノートにまとめるのは、次のような問題とその解答です。

- **何度も間違えてしまった問題**
- **入試などのために何度も解き直したい問題**
- **テストや模試で間違えてしまった問題**

問題集や教科書で解いた問題すべてをまとめるのではなく、自分が特に苦手だと感じるものだけを書き込んでいきます。

### ◇おすすめはドット入り罫線のルーズリーフ

Ｂノート作りにおすすめなのは、ドット入り罫線のルーズリーフです。

ドット入り罫線のシリーズは、ノートでもルーズリーフでもとてもおすすめ。特に、図形やグラフ、表などを書き込む科目ではドットが大活躍します。ルーズリーフタイプを選んでお気に入りのファイルに綴じれば、科目ごとに問題をまとめたり、自由に入れ替えたりすることができて便利です。

## Ｂノート作りの手順

### ◇ルーズリーフにページ番号を振る

Ｂノートは「問題ページ」と「解説ページ」の２つのパートから成ります。はじめはそれぞれ５枚ずつ程度のルーズリーフを用意してください。

ルーズリーフを用意したら、下のほうにページ番号を振っていきます。５枚ずつあれば裏表で10ページになるので、問題ページ・解説ページそれぞれ１から10ページまで書いて

## Bノートの問題ページ

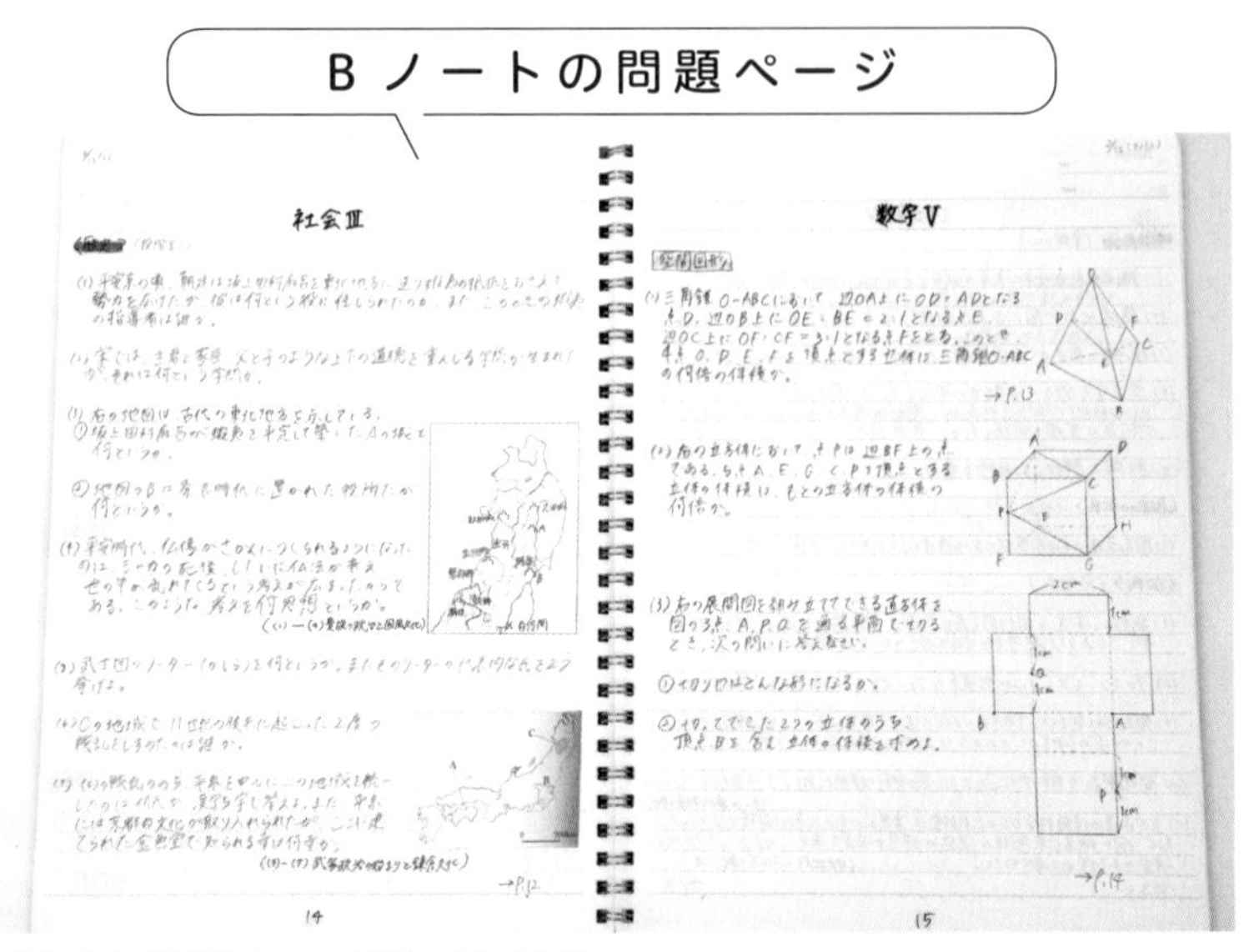


教科書や問題集から、苦手な問題を集めます。

## Bノートの解説ページ

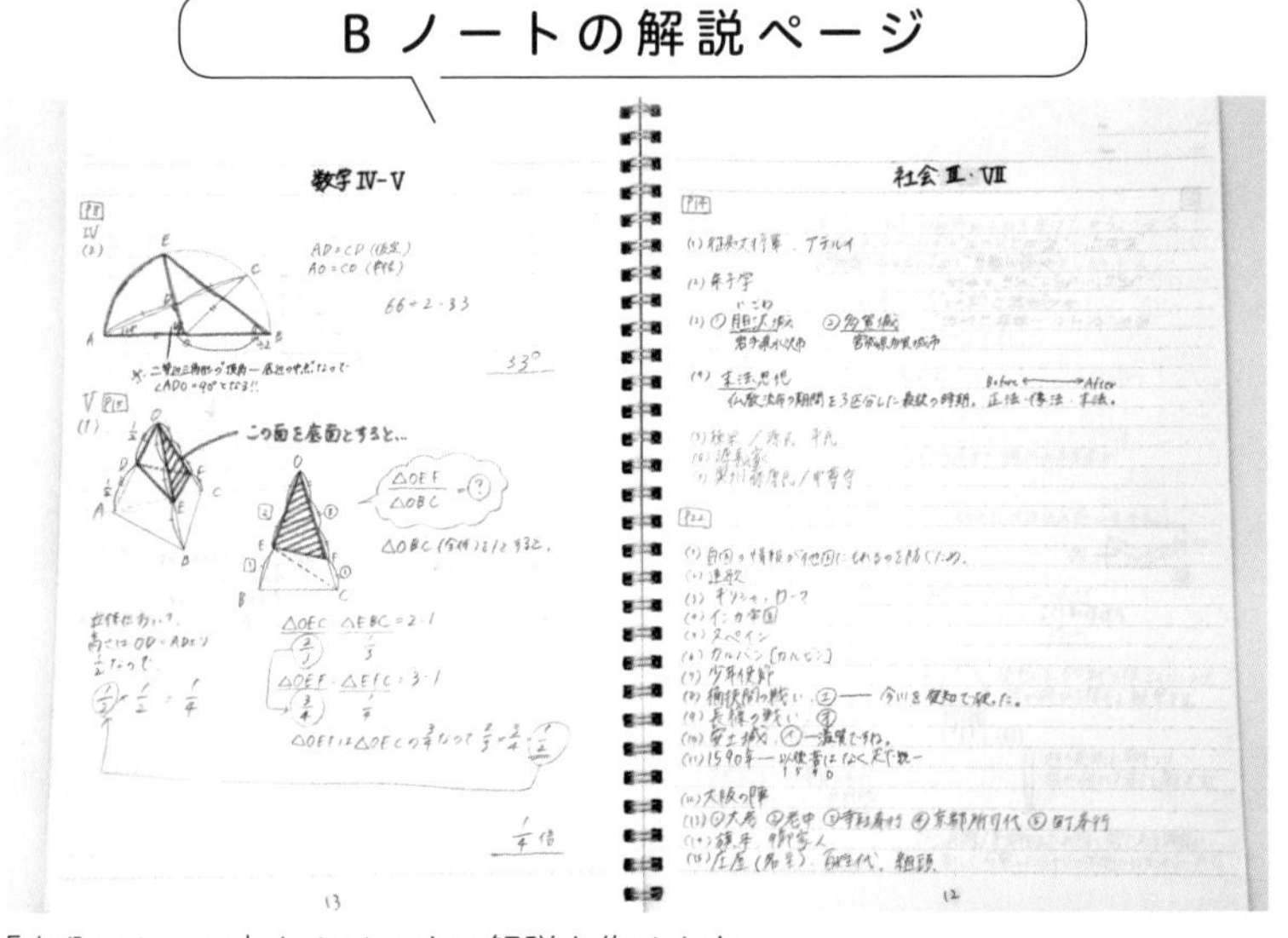


「自分にとって」わかりやすい解説を作ります。

おきましょう。

ルーズリーフではなくノートを使う場合は、表紙側から問題ページ番号、裏表紙側から解説ページ番号を振ってください。

◇間違えた問題を書く

問題ページに、今回まとめたい問題を書いていきます。

時間がなければ問題集などをコピーして貼ってもＯＫです。コピーの場合も手書きの場合も、**必ずその問題がどこにあったものなのか（出典）を書く**ようにしてください。これは、あとからなにか確かめる必要が生じたときに、どこを調べればいいかわかるようにするためです。

また、その問題の**単元名**も書くようにしましょう。たとえば「空間図形」などと書いておけば、空間図形の問題を復習したくなったときすぐにその問題を見つけることができます。

使うペンはなんでもかまいませんが、**どちらかというと鉛筆やシャーペンよりボールペンがおすすめ**です。というのは、このノートはこの先何度も見返すことになるので、指で触ってしまって文字がこすれたり、消しゴムでうっかり消えてしまったりしないほうが安心だからです。

### ◇解答・解説を書く

解説ページのルーズリーフを用意し、先ほどの問題の解答と解説を書いていきます。

解説ページにはまず、**該当の問題のページ番号と問題番号**を書きましょう。ページ番号は色ペンで書いておくと目立ってわかりやすくなります。

次に解答を書きます。解答は問題集にあるとおりでＯＫです。

大切なのはここから！　**この勉強法で最も重要なのが「解説」です。**解説は、どうしてその解答になるのかや覚え方などを、「自分にとって」わかりやすく説明する意識で書いていくのがポイント。

市販の参考書や問題集にも解説は載っていますが、自分が気になる点について詳しく書かれていなかったり、自分の知らなかったことを当たり前のように前提として解説されてしまっていたりすること、ありませんか？　このＢノートは、そんな市販の教材と異なり、あくまでも自分が理解しやすい解説を自分なりに書いていくノートです。問題集の解説に書かれていなかったことでも、必要があればどんどん書き足していきましょう。ほかの資料集や参考書からの知識をあわせて書いておいてももちろんＯＫです。

解説は、わかりやすければどんな色のペンを使ってもかまいません。ただ、カラフルになりすぎたり時間がかかりすぎたりするのは効率的ではないので、**黒＋２～３色程度にまとめましょう**。

◇**解説のページ番号を書く**

解説を書き終わったら、その**解説ページのページ番号**を問題ページに書いておきます。こうしておけば、問題を解いたあと、どのページを開けば解答・解説があるかすぐにわかります。

# Cノート（自分専用「参考書」）の作り方

Cノートは、自分のためだけに苦手なポイントをまとめる「自分専用参考書」ノート。図やイラストを駆使して、「自分にとってわかりやすく」を目指しましょう。また、A・Bノートと同じく、全教科を同じノートにまとめてしまいましょう。

## Cノートにはなにを書く？

Cノートにまとめるのは、次のような内容です。

- **何度もつまずいてしまう内容**
- **入試などのために何度も復習したい内容**
- **テストや模試で間違えてしまった内容**

Bノートはあくまで問題と解き方をまとめるのでアウトプット用のノートになるのに対

し、Ｃノートは移動時間などにも読んで覚えられるようなインプット用のノートになります。基本的には「読みもの」として使うイメージです。

◇おすすめはドット入り罫線のルーズリーフ

Ｃノートにも、ドット入り罫線のルーズリーフがおすすめです。

Ｃノートでは図表が登場することも多いので、ドットが入っていると見やすくきれいなノートにすることができてとても便利。また、Ｂノートと同じく、ルーズリーフなら科目別にまとめたり入れ替えたりすることもできます。

## Ｃノート作りの手順

◇タイトルを書く

まずはまとめる内容のタイトルを書きます。これがないと、なにについてまとめてあるのかわからなくなってしまいます。

「歴史」や「理科」といったタイトルだと範囲が広すぎるので、「平安時代の文化」や「腎臓の働き」くらいの大きさのテーマ名を書くといいでしょう。

## ◇覚えたい内容をまとめる

暗記したい事項をわかりやすくまとめていきます。

基本的には教科書や参考書のページを参考にすればＯＫです。ただし、そのままの内容を書き写すのではなく、自分が苦手だと感じるポイントをピックアップすること。また、自分なりの覚え方や語呂合わせなどを書き加えるのもおすすめです。

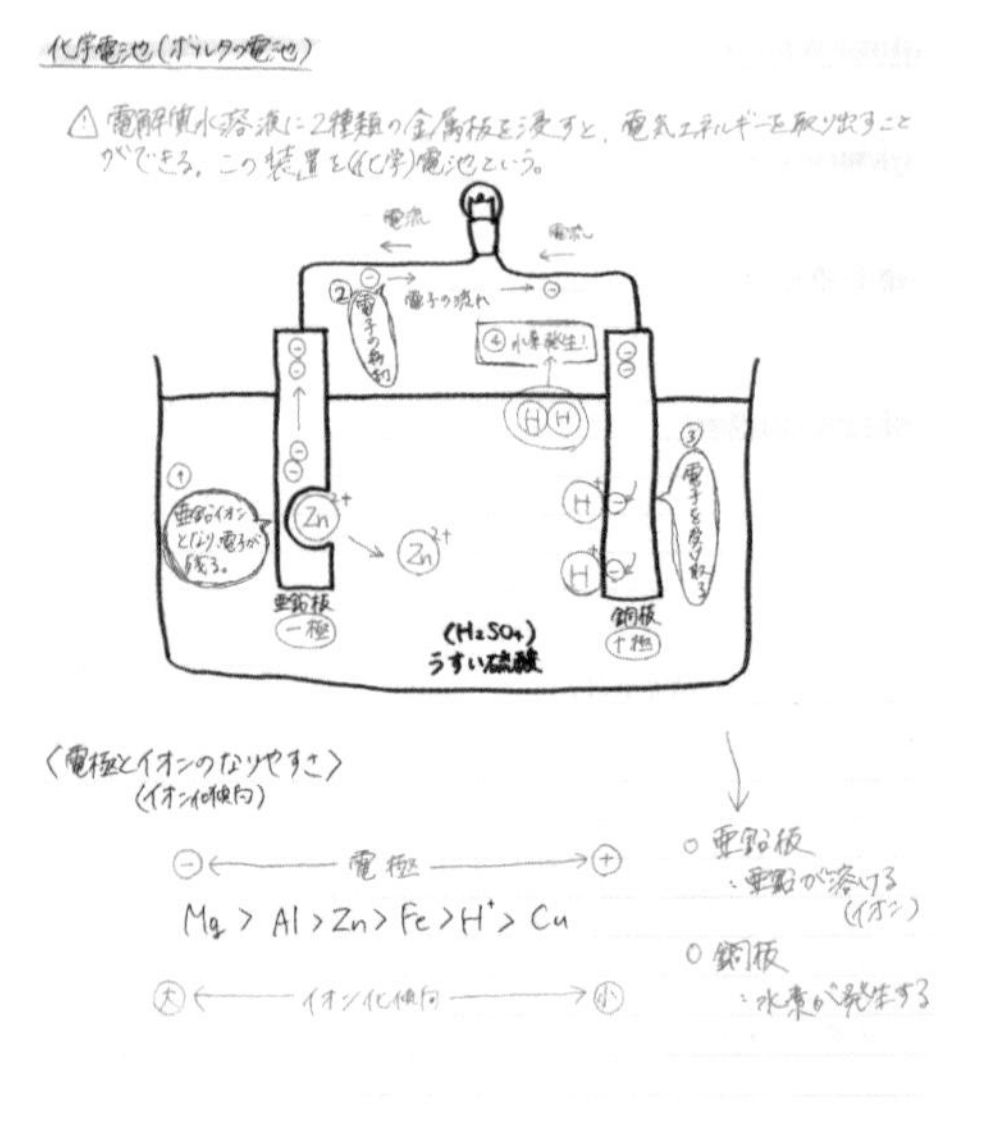


自分オリジナルの参考書に仕上げます。

ときどきすごく凝ったまとめノートを作る人がいますが、ノートまとめはそれ自体ではほとんど意味がなく、読み返してインプットしてこそ効果を発揮する勉強法です。**ノート作りにはなるべく時間をかけないよう意識してください。**

Part.3

定期テストから
受験まで！

# 教科別勉強法&最強ノートの作り方

前のパートまでは全教科に使える勉強法のコツやノート術の基本をお伝えしてきました。Part 3では各教科の勉強法やノート術を「予習」「授業」「復習」「テスト勉強」の4つのシチュエーションごとに詳しくご紹介します。

# 英語のノート勉強法

## 英語の勉強法の基本

中学校でも高校でも最重要教科の一つである英語。やることが多く、勉強法がわからないという人もいるかもしれませんが、一度やり方の「型」を覚えてしまえばそれほど難しくありません。まずは英語の勉強法の基本的なところを知っておきましょう。

### 英語の勉強で使うもの

英語の勉強では、次のようなものを用意しておきます。

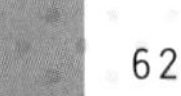

- 教科書
- ノート
- ワーク
- シャーペン（鉛筆）
- カラーボールペン（４色）
- 単語カード
- レコーダーやスマホなど声が録音できるもの

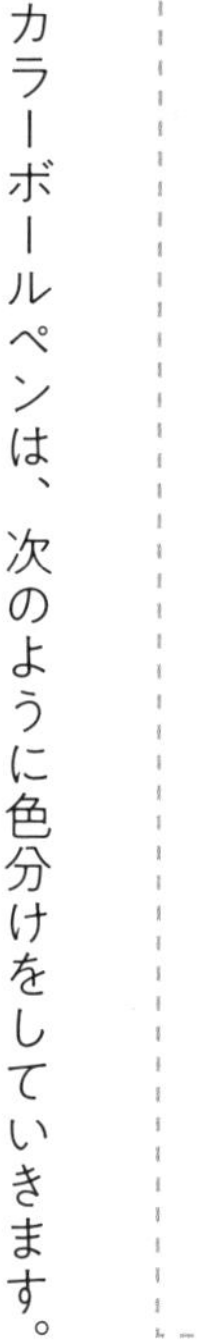

カラーボールペンは、次のように色分けをしていきます。

- 赤……先生の解説のうち、初めて知ったこと
- 緑……先生の解説のうち、すでに知っていたこと
- 水色……単語や熟語の意味
- 青……日本語訳の直しやその他のメモ

ここではこの色分けで説明をしますが、実際にはもちろんこの４色でなくてもかまいません。自分の好きな色を選んでくださいね！

## 単語と文法がすべての基本！

英語の勉強には、読解やリスニング、英作文などさまざまな要素がありますよね。ですが、それらすべてのベースとなるのは、「単語」と「文法」です。まずはこの2つをしっかりと押さえておかないと、いくらがんばっても高得点は望めなくなってしまいます。

英単語は、授業で出てきたものを中心に少しずつ覚えていきましょう。高校生や受験を控えている中学生は、**志望校や自分のレベルに合わせて単語帳を1冊買って勉強する**のがおすすめ。「たくさん書く」「CDの音声を何度も聴く」「単語カードを作る」など、自分に合った方法でできるだけたくさんの単語を覚えていきましょう。

英文法も、授業で習ったものをしっかり身につけていくことが第一。インプットだけでは覚えづらいので、ワークなどで**アウトプットをくり返す**ようにしましょう。

## 五感を使って勉強しよう

英語の勉強全般に効果的なのが、「五感」を使った勉強法です。

目で見たり手で書いたりするのに加えて、「耳」から音を聴いたり、「口（声）」に出して単語や文章を読んだりすると、記憶が定着しやすくなります。わたしはよく、**「教科書や英単語帳の読み上げCDをくり返し聴く」「自分で発音しながら英単語のスペルを書く」「教科書の音読をする」**といった勉強をしていました。

## 英語のテスト勉強のゴール

学校の英語の勉強で目指すべきゴールは、

- □**【読解】授業で出てきた単語や熟語を完璧にする**
- □**【読解】教科書の英文をすべて日本語訳できるようになる**
- □**【読解】教科書の英文をすらすらと音読できるようになる**
- □**【文法】授業で出てきた単語や熟語を完璧にする**
- □**【文法】授業で習った英文法を使いこなせるようになる**（習った文法を使ってオリジナル例文を作れるくらいが目安）

ということです。これらを目標として、自分に合った勉強方法を一緒に見つけていきましょう。

# 英語の予習のやり方

英語の勉強では、授業の予習が最も大切です。予習は、学校で使う「授業ノート」を次のようなステップで準備していきます。

## ①ノートを4つに分割する

まずは見開きノートを用意し、4つのスペース（A～D）に分割します。分割する縦線はボールペンで引いておくと、あとから消しゴムで文字を消すときにも消えないので便利です。

## ②教科書の英文を書き写す

まずは教科書の英文（本文）を、見開きノートの左ページ、Aの部分に書き写します。

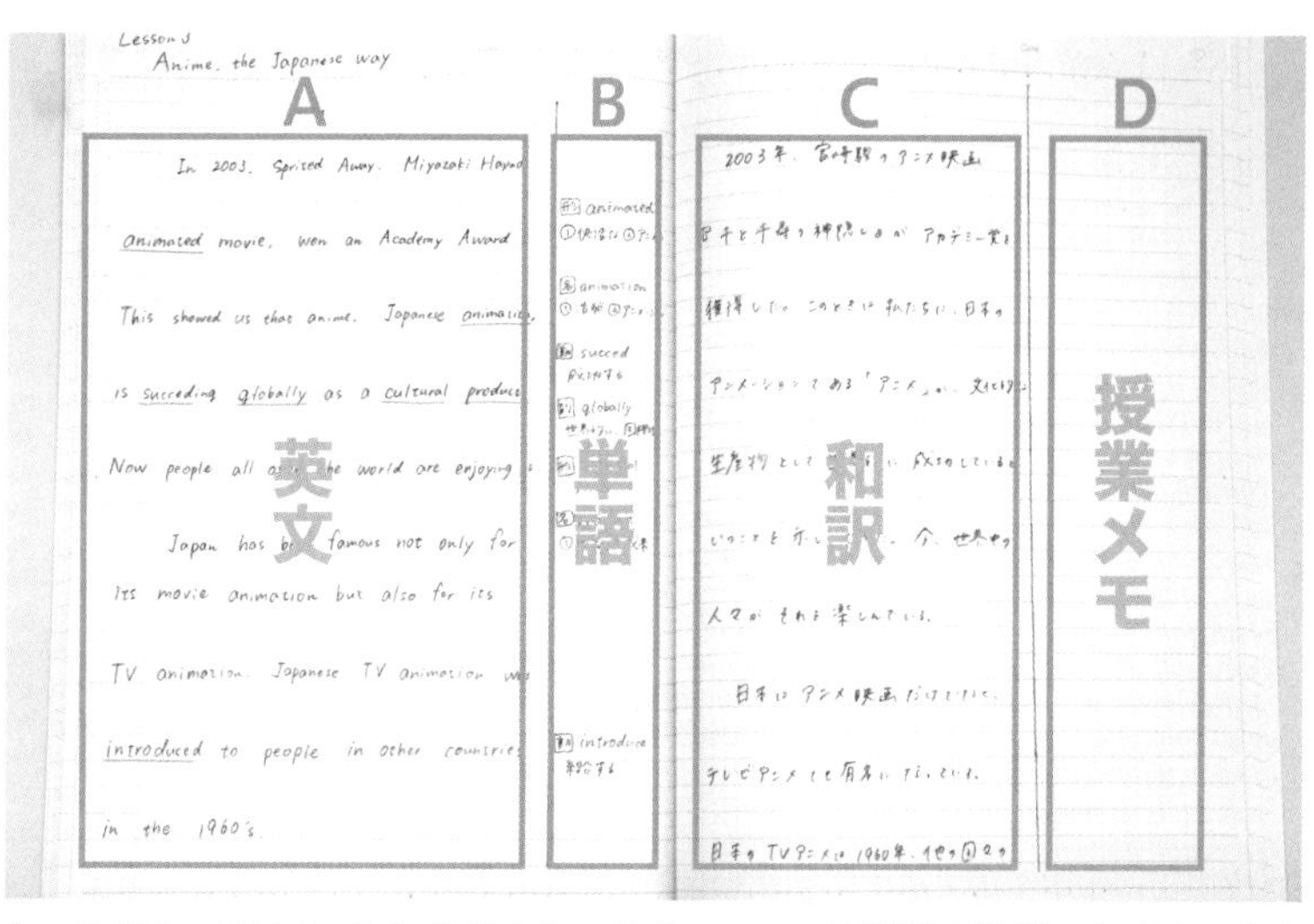

Ａ～Ｄの4つのスペースに分けます。Ｄのスペースは予習の段階では空白でかまいません。

このとき、英文は2行程度空けて書くようにしましょう。これは、のちほど授業中に知ったことや先生の話を書き込めるスペースを確保しておくためです。

時間がない人は、教科書のコピーを貼るのでもＯＫ。ただし、教科書の英文は行間が狭く書き込みがしづらいことも多いので、できれば手で書くほうがおすすめです。

### ③自分なりの日本語訳を書く

次に見開きノートの右ページ、Ｃの部分にその日本語訳を書いていきます。

英文と同じく、あとからメモを書いたり訳の修正を入れたりすることができるよう、2行程度ずつ行間を空けて書くようにしましょう。シャーペンか鉛筆でＯＫです。

このとき、わからない英単語や表現はすぐに辞書を見るのではなく、**前後の文脈から自分で推測して日本語訳をしてみましょう。**この推測の作業をくり返すことで、英語の力がついていきます。

## ④知らない英単語を調べる

最後に、今回初めて知った英単語や英熟語、慣用表現などにノートで下線（わたしは水色のカラーボールペンを使っていました）を引き、それらを辞書で調べます。調べた単語などはノートのＢの部分に書いていきます。

このとき、「名詞は名」「形容詞は形」などと書き方のルールを決めておくと、ノートが見やすく、また時間短縮にもなります。

# 英語の授業の受け方

英語の授業は、予習時間に作った授業ノートに書き込みをしていくのが基本です。

## 自分の日本語訳を色ペンで直す

授業では、先生が文法などを解説し、教科書の英文の訳を教えてくれると思います。この訳を、予習時に書いた日本語訳と照らし合わせてみましょう。自分の訳が間違っていたときや、よりよい訳を知ったときは行間の余白に先生の日本語訳を書き込みましょう。

自分の訳と教わった訳とをしっかり区別するため、この書き込みは青ペンなど、黒以外の色のペンでするのがおすすめです。

## 先生の解説をメモする

本文の訳以外にも、先生が話したり板書したりして説明してくれた内容はしっかりノートのＤのスペースにメモをとりましょう。

メモするときのコツは２つ。１つめは、「知っていたことと知らなかったことを色分けする」ということ。２つめは、「先生の雑談もメモする」こと。Ｐａｒｔ２でお伝えしたように、授業内容と直接関係のない先生の話もメモしておくことで、授業の光景を思い出しやすくなり、記憶の定着度が上がります。

## 発音を確認する

英語は、読んだり書いたりして理解できるだけでなく、**実際にその単語や文章を正しく発音できるところまでが勉強の範囲**です。

授業では、みんなで単語を発音したり、英文を読み上げたりする場面があると思いますが、そうしたときにはぜひ積極的に声を出して参加しましょう。発音記号をチェックできるとベストですが、難しければ発音の仕方をカタカナでメモしておいてもＯＫです。

A 英文　B 単語　C 和訳　D 授業メモ

**A 英文**

Lesson 3
Anime, the Japanese way
アニメ、日本式

1

In 2003, ▼1 Spirited Away, Miyazaki Hayao's animated movie, won an Academy Award.
▼2 This showed us that anime, Japanese animation, is succeding globally as a cultural product.
Now people all over the world are enjoying it.

Japan has ▼4 been famous ▼3 not only for its movie animation but also for its TV animation. Japanese TV animation was ▼6 introduced to people in other countries in the ▼5 1960's.

**B 単語**

形 animated ①快活な ②アニメの
名 animation ①活発 ②アニメーション
動 succeed 成功する
副 globally 世界的に、[illegible]
形 cultural 文化の
名 product ①製品 ②成果
動 introduce 紹介する

**C 和訳**

2003年、宮崎駿のアニメ映画
(Spirited Away, つまり宮崎駿作の)
『千と千尋の神隠し』がアカデミー賞を
(アニメの映画が)
獲得した。このときに私たちに、日本の
(受賞)
アニメーションである「アニメ」が、文化的に
(アニメ、つまり日本のアニメーション)
生産物として世界的に成功していると
(産物)　(成功しつつある)
いうことを示してくれた。今、世界中の
人々がそれを楽しんでいる。

日本はアニメ映画だけでなく、
テレビアニメでも有名になっている。
日本のTVアニメは ~~1960年~~、他の国々の
(1960年代になって)
人々に紹介された。

**D 授業メモ**

▼1 A, B（補足説明）
同格「つまり／すなわち」
→ A＝B

sprit 名 霊、心、精神
動 こっそり連れていく
→ spirited：こっそり連れ去られた＝神隠し

▼2 This showed us {(that) S' V'}
S V IO DO

▼3
* not only A but (also) B
[just] [simply] [merely]
：AだけでなくBでもまた　覚える！

▼4
* be famous (for) ～（～で有名な）
形 ← 名 fame（評判）

▼5 ～年代
the 1960's (1960～1969)

▼6
introduce A to B
：AをBに紹介する
⇓
TV～was introduced to people.
受け身になったから Aが前に出た

Dのメモスペースも埋まり、授業後にはノートがこのような状態になります。

# 英語の復習のやり方

授業が終わったら、テスト勉強の準備を兼ねて簡単に復習をしましょう。

## 授業ノートを見返す

授業中にとったノートをざっと読み返しましょう。特に注目するのは**新出単語・熟語**と、赤ペンで書いた**「先生の解説のうち初めて知ったこと」**です。

この場ですべてを覚えなくてもいいので、「ノートに書いたことをなるべく頭に残すぞ」という気持ちで見返してみてください。

## 単語カードを作る

予習時や授業中にBのスペースに書いた、新出単語・熟語を単語カードにしておくと、テスト前に単語の勉強がしやすくなります。

カードは紙のものはもちろん、スマホアプリなどで作ってもかまいません。通学中など**スキマ時間に気軽にできるような形にしておきましょう。**

## Cノートを作る

余裕があれば、予習時や授業中に初めて学んだことをCノートにまとめておきます。

単語や熟語は基本的に単語カードにするのがおすすめですが、たとえば「believe と trust の使い分け」のような比較や豆知識などには、単語カードよりもCノートのほうが向いています。

また、文法についても必要に応じてCノートに書いておきましょう。授業のたびに必ずまとめる必要はありませんが、「ここは苦手だなぁ」と思う単元のときにはCノートを活用しましょう。習った文法を使ってオリジナルの例文を一つ作ってみると、印象に残って理解も深まります。

# 英語のテスト勉強法

英語のテスト勉強は主に、教科書と、これまでに作っておいたノートやカードを使っておこないます。

## 単語カードをくり返しやる

授業の復習時に作っておいた単語カードを、くり返しくり返しやりこみましょう。覚えたカードをどんどん捨てていき、カードが0枚になるまでやってみるという方法もいいと思います。

## 教科書を音読する

音読できるかどうかはその単語や文章を理解できているかの一つのチェックになり、自分の声を耳で聴くことで記憶にも残りやすくなります。

音読は次のようなステップでやるのがおすすめ。読み上げのCD・音声データなどが教科書についていた場合は、あらかじめ用意しておきましょう。

**1．自分で読んでみる（1回）**

どこで詰まってしまうかの確認のために、一度自力で音読します。

**2．読み上げCDの音声を聴く（2～3回）**

お手本の音声を聴き、発音や抑揚(よくよう)を軽くチェックします。

**3．CDと一緒に読んでみる（5回）**

お手本と同時に音読をします。抑揚やリズムもなるべく真似して読みましょう。

**4．自分で読んでみる（10回）**

お手本の読み方を思い出しながら、自分だけで音読をします。

## 日本語訳を確認する

教科書の英文はすべて正しく日本語に訳せるようにします。

用意するのは、なにも書き込みをしていない教科書の英文（あらかじめコピーをとっておくのもおすすめ）と、レコーダーやスマートフォンなど録音ができるもの。英文を目で見て、日本語訳を口で言ったものを録音します。録音ができたら、正しい訳をメモした授業ノートを見ながら再生し、合っていた場所、間違っていた場所を確認しましょう。

## 授業ノートを読み返す

授業ノートを開き、色ペンで書き込んだ授業メモをチェックします。特に、赤ペンで書いた「先生の解説のうち初めて知ったこと」は要チェックです。

## ワークなどをAノートに解く

文法のワークなどを解きます。ワークに直接書き込んでもかまいませんが、**何度も使いたい場合などはAノートを使うのがおすすめ**。どんどん解いて丸つけをしましょう。

## Bノートを作る

ワークなどで間違えてしまった問題は、必要に応じてBノートにまとめます。すべてを

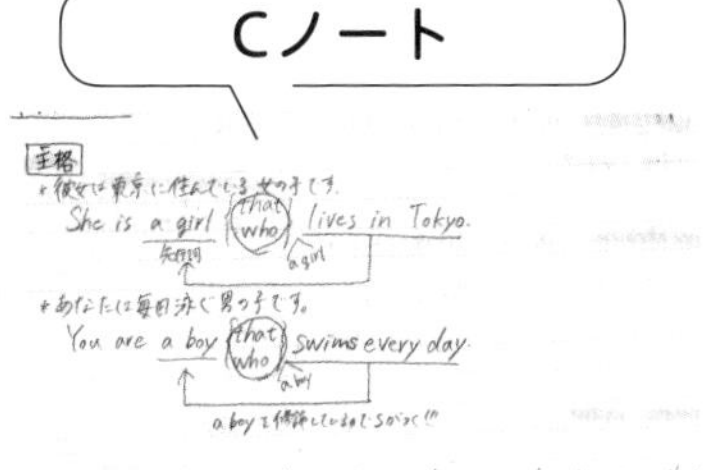


Cノートには、覚えておきたい豆知識やテクニックをまとめます。

Bノート

Bノートには、自分にとって特に重要な問題だけをまとめます。

書き写していると時間がかかってしまうので、何度も間違えてしまったものや、今後のテストや入試までなど長期間にわたって復習したいものだけ書くようにしましょう。

Bノートに書いた問題は、テストまで何度かくり返して解けるようにしておきます。

## Cノートを作る・読み返す

授業で出てきたポイントやワークの解説を読んで知ったことなど、「これは今後も覚えておきたい」と思ったことはCノートにまとめます。

テストまでの期間、Cノートを何度か読み返してその内容を頭に入れておくようにしましょう。

# 数学のノート勉強法

## 数学の勉強法の基本

数学は人によっては苦手意識を感じやすい教科でもありますが、焦らずに基礎から順に学べば絶対にできるようになります。まずは正しい勉強法を身につけましょう！

### 数学の勉強で使うもの

数学の勉強では、次のようなものを用意しておきます。カラーボールペンは、**英語と同様の色分け方法**でＯＫです。

- 教科書
- ノート（作図のしやすいドット入り罫線か方眼がおすすめ）
- ワーク
- シャーペン（鉛筆）
- カラーボールペン（４色）

## 焦らず基礎固めに徹する

数学の勉強で最も重要なのは、必ず基礎を押さえてから応用や発展に進むということです。

どの教科にもいえることではありますが、特に**数学は「積み上げ」がものをいう教科**。どんなに焦っても、必ず地道に基礎固めに徹することが大切です。「この単元の基礎がわかった↓応用問題に進む」という順番をしっかり守り、一歩一歩踏みしめるようにして学習を進めていきましょう。

## わからなくなった地点まで戻る

あるとき気づいたら授業の内容がまったくわからなくなってしまった！　というときもあるかもしれません。そんなときも、焦って追いつこうとするのではなく、「わからなくなってしまった地点」まで戻るようにしましょう。

## 公式という武器を身につける

数学の勉強で最も大切な要素の一つが公式です。**授業で習う公式や図形の定理は、必ずすべて覚えるようにしましょう。**

公式や定理を習ったら、「暗記する」「自分で証明できるようにする」「問題を解くときに使えるようにする」の3点セットを達成できるようにしましょう。

## 計算は「はかせの法則」を意識

計算では「速く」「簡単」「正確に」の3つが大切。それぞれの一文字めをとって**「はかせの法則」**と覚えましょう。

「速く」は計算のスピードです。これは数をこなすしかありません。なるべくたくさんの問題を解く練習をしましょう。時間を計りながらできるとベターです。

「簡単」は計算をなるべく簡単におこなうということです。項をまとめる、公式を使うなど工夫をたくさんしましょう。

「正確に」は計算ミスをしないようにということです。急いで計算をするとついケアレスミスが出てしまいがちですが、対策としておすすめなのは**「自分のケアレスミスを分析する」**ことです。たとえば「0」と「6」をしっかり書き分けていなかったり、消しゴムをきちんとかけていなかったがために「－」が「＋」に見えてしまったりといった自分のクセを知っておくと、ミスを減らすことができます。

## 数学のテスト勉強のゴール

数学では、次のことを目標に日々の勉強を積み上げていきましょう。

- □**用語や概念を理解する**
- □**公式や定理を自分で証明し、使いこなせる**
- □**授業で出てきた計算方法や解き方を理解し、自力で解ける**

# 数学の予習のやり方

数学の予習のやり方は、事前に先生から課題や問題が与えられているかどうかによって変わってきます。それぞれご紹介するので、自身の学校の授業スタイルにあてはまるほうを参考にしてみてくださいね。

## 事前に課題や問題が与えられている場合

あらかじめ出された問題を解いていき、授業中に解説がされる場合は、しっかりと予習をしておくことが必要です。

ノートを見開きで使い、まず左右両方のページに**メモ欄**を用意するための縦線を引いておきます。

次に左ページの上あたりに、**日付**、**教科書のページや問題番号**、**問題文**を書きましょう。

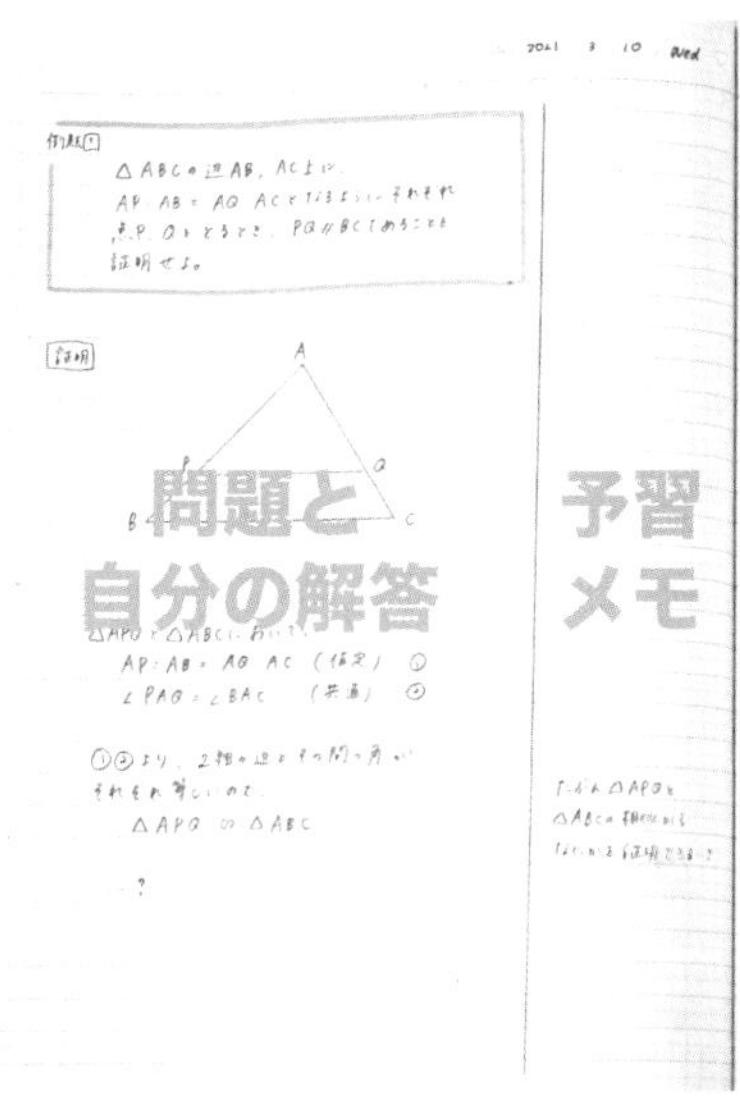

予習時は左ページを埋め、右ページは空けておきます。

問題文を四角で囲んでおくと、ノートがより見やすくなります。もし問題文が長い場合や、手で書くのが大変な場合はコピーを貼り付けるのでもOKです。

問題を書いたら、その下に**自分なりの解答**を書きます。このとき、はじめはなにも見ずに解いてみてください。10分ほど考えてもどうしても解けなかった場合は、参考書などを見てもかまいません。ただし、その際には必ず「自分でできたところ」と「参考書を見てできたところ」が区別できるよう、ペンの色などを変えましょう。

メモ欄には、そのときに思ったことを書いておくのがおすすめです。「たぶんこの公式を使うんだと思うけど、使い方がわからない……」など、感情や疑問を残しておくと授業中にそれらを意識して先生の解説を聞くことができます。

## 事前に課題や問題が与えられていない場合

この場合、基本的には予習に力を入れなくて大丈夫です。余裕があれば教科書をパラパラと眺めておきましょう。

数学はどちらかというと授業や復習のステップが大切なので、前回の授業のノートを読み返しておくといったこともおすすめです。

# 数学の授業の受け方

数学では、「教わったことを覚える」のではなく**「自分で考える」ことをクセにするのが重要です。**授業にはぜひ積極的な気持ちで参加しましょう。

授業ノートの作り方は先ほどと同様、授業スタイルによって異なるのでそれぞれご紹介します。

## 事前に課題や問題が与えられていた場合のノートのとり方

先生の解説を聞き、見開きの右ページにそれを書いていきます。このとき注意するのは、板書の丸写しにはしないということです。自分なりに気になったポイントや「ここを忘れてた！」というところには線を引いたり、メモ欄にコメントを入れたりしましょう。

あわせて、左ページの自分の解答をチェックします。正しい解答と見比べ、違っていたところを色ペンで書き込みましょう。このとき、間違っていたところがあっても消しゴムで消さないこと、自分で解いたところと解説を聞いて書き込んだところを区別できるように色分けすることがポイントです。

## 事前に課題や問題が与えられていなかった場合のノートのとり方

予習をする場合のノート（83ページ）と同様、まずはノートの左右のページに**メモ欄**を作るための縦線を引きます。

次に**日付、教科書のページ、問題番号**を書きましょう。これは、あとから復習するときに参照する先をわかりやすくするためです。

次に授業で出された問題を書きましょう。四角で囲んでおくと、ノートがより見やすくなります。

個人で問題を解く時間になったら、問題の下に**自分の解答**を書いていきます。これはシャーペンか鉛筆で書くようにしましょう。先生の解説が始まるまでは、消しゴムで消して直してももちろんOKです。

解説の時間になったら、説明を聞いてわかったことをペンでどんどん右ページに書き込

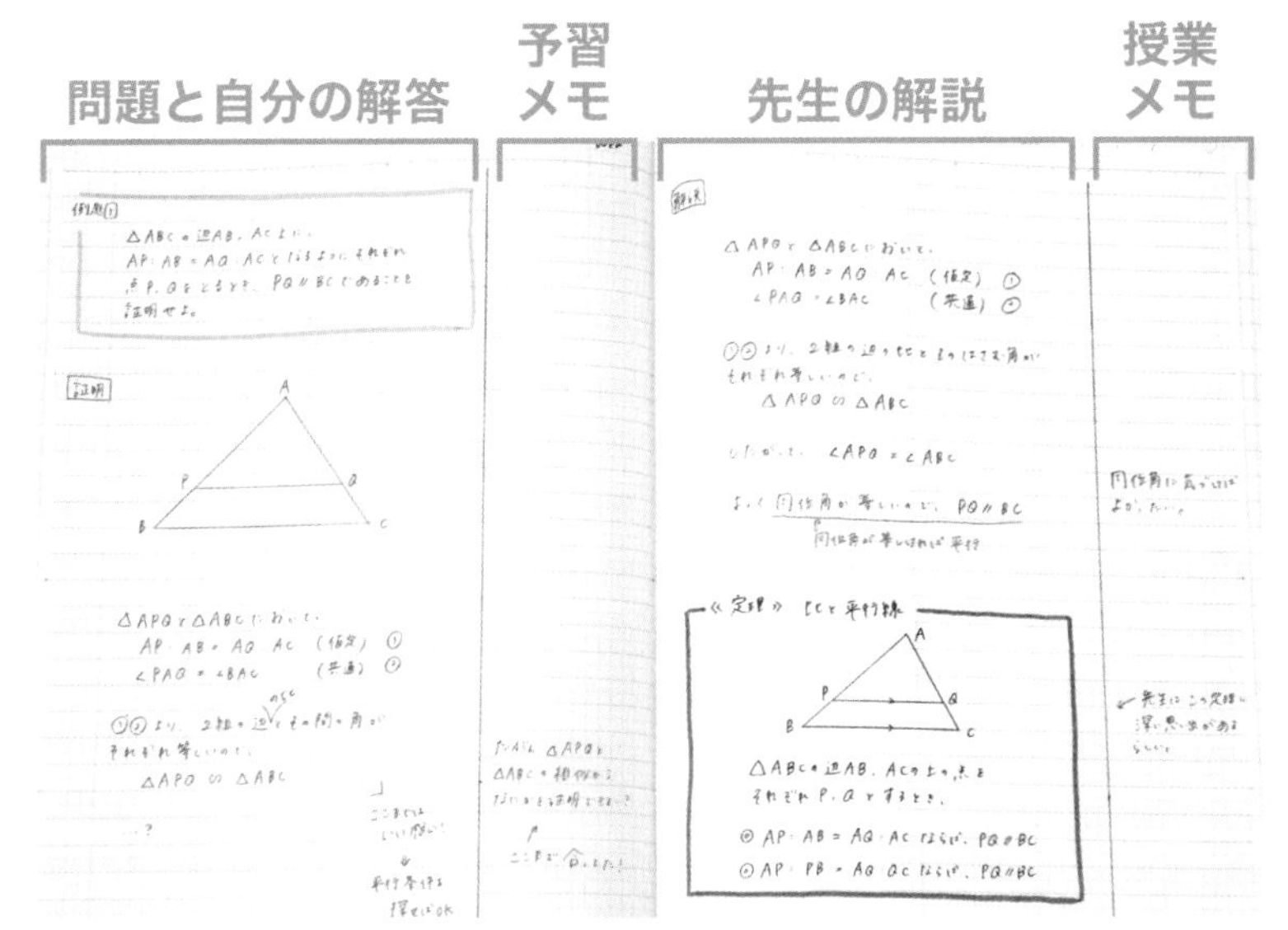


右ページに先生の解説と授業メモを書き込み、いずれの授業スタイルでも、授業後のノートはこのような状態になります。

んでいきます。自分の解答を直すときも必ず色ペンを使い、消しゴムで消さないようにしましょう。**「自分でどこまでできたのか」**をしっかり残しておくことで、復習をしやすくするためです。

また、ポイントやそのときに思ったことはどんどんメモ欄に書き込みます。先生が板書したことはもちろん、「えっ、ここってこうやって計算するんだ～！」といった自分のちょっとした感情も書いておくと、授業の光景が思い出しやすくなります。

## 授業スタイルに関係なくやるべきこと

### ◇問題に印をつけておく

必ずやっておきたいのが問題に印をつけておくことです。自力で最後まで解けたものには◯、途中まで解けたものには△、全然わからなかったものには×をつけておくと、復習するときに△と×のついたものだけチェックすればよくなるので勉強の効率がアップします。

### ◇疑問に印をつけておく

授業中、疑問に思ったところは必ずチェックしておきましょう。メモ欄に書いておくか、付箋に書いて貼っておくのもおすすめです。

授業が終わったら、その疑問点について先生や友だちに聞いてみましょう。疑問をそのままにしておくと、そのとき習ったことを前提に進む次の授業や単元で迷子になってしまいます。必ずその日のうちに解決するようにしてください。

# 数学の復習のやり方

数学では復習がとても重要。授業の内容を確認し、授業で扱った範囲のワークや問題集を解いていきます。

## 授業ノートを見返す

授業ノートを読み返してみましょう。特に、初めて習った公式・定理や、赤ペンでメモした「初めて知ったポイント」などは要注目です。

## 解けなかった問題を解き直す

授業で解けなかった問題をチェックし、自力で解けるようにしていきます。**授業中につけておいた×や△の印のある問題だけ**でかまわないので、再度解き直しましょう。きれい

Bノートの問題ページ

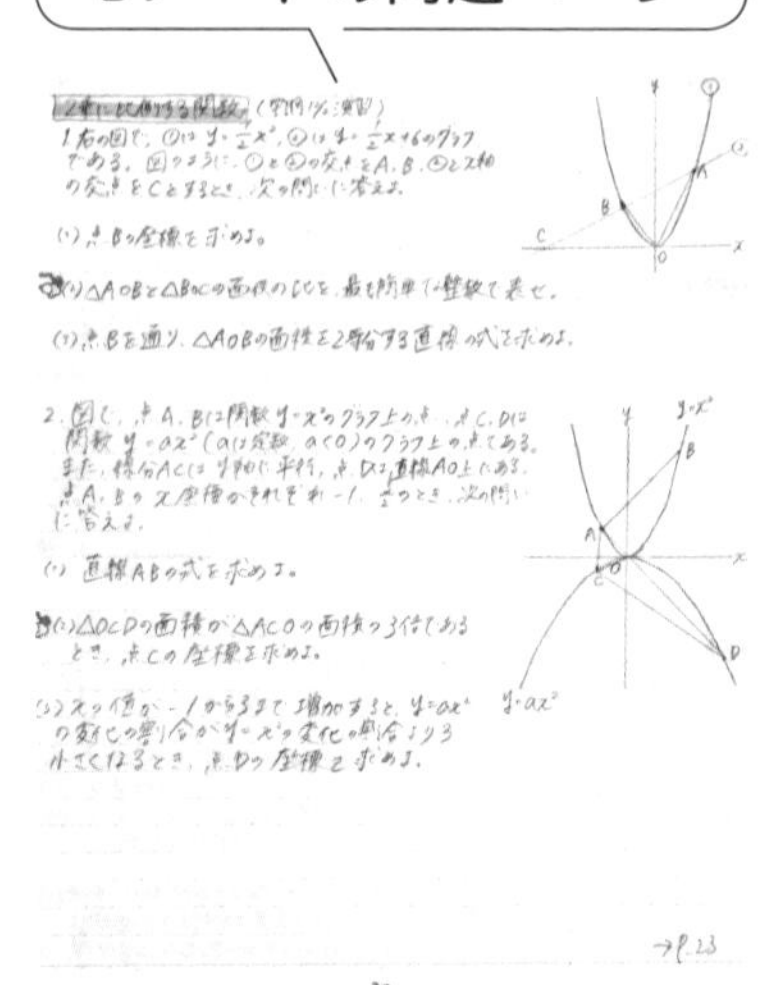

図やグラフも入れて書きます。

Bノートの解説ページ

わかりやすく色分けして解説。

にまとめる必要はないので、Aノートを使ってどんどん解いていきます。

## Bノートを作る

何度か解き直してもつまずいてしまうものは自分のウィークポイントといえるので、Bノートに問題と解説をまとめておきましょう。

問題ページには、**「単元名（『1次関数』など）」「問題の出典（教科書や問題集名とページ・問題番号）」**をしっかり書きます。問題は手で書き写しても、コピーをとって貼ってもOKです。

**解説ページでは、解き方・答えを自分なりに書いていきます。**このとき、教科書や問題集の解説をただ丸写しにするのではなく、**「自分専用問題集」**にするための自分なりのエッセンスを加える

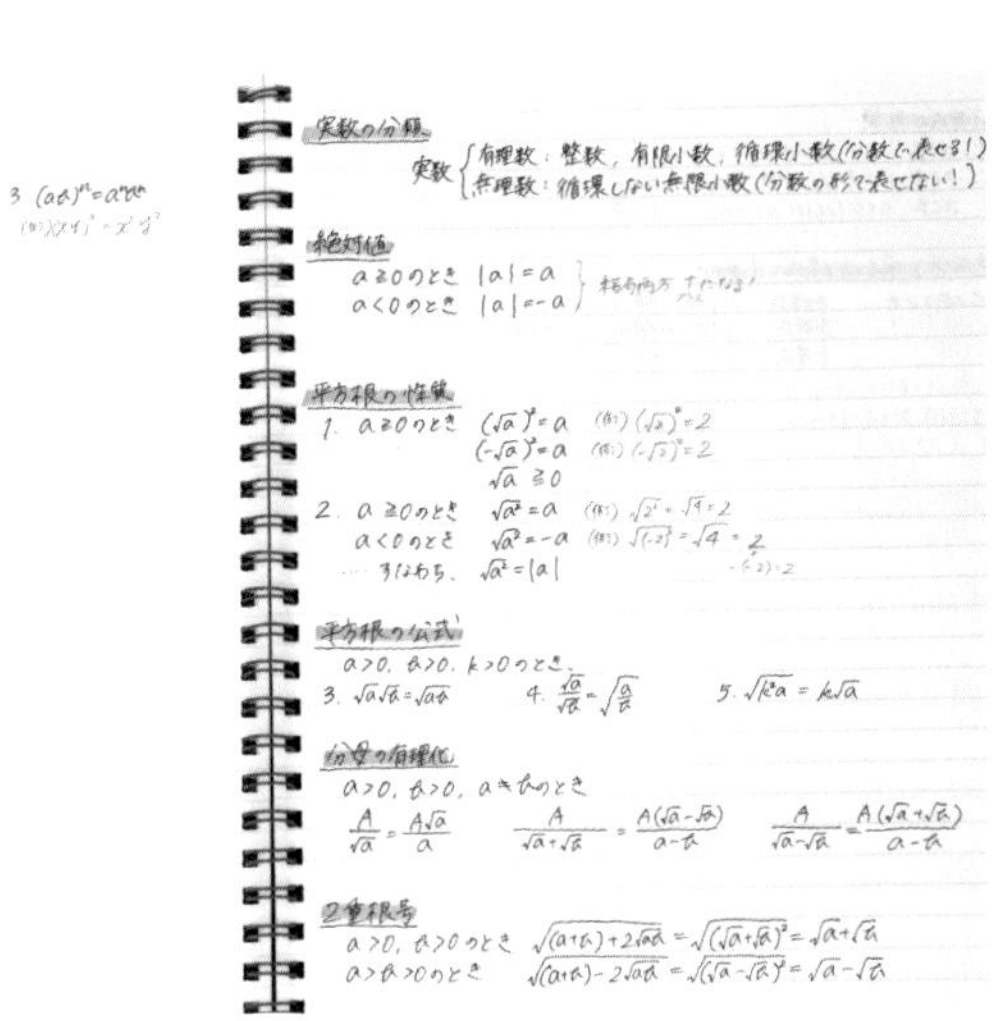

覚えたいポイントをまとめたＣノート。

ことを忘れないでください。たとえば、「模範解答の解き方のうち、自分がつまずいてしまったところだけを色ペンで書く」「自分が間違ってしまった理由を書き込む」など工夫をこらしましょう。

## Ｃノートを作る

授業で習った公式や定理などがあれば、Ｃノートにまとめておくのがおすすめです。Ｃノートに公式・定理の専用ページを作っておいてもいいかも。

はじめにお伝えしたように、公式や定理は自分で証明できるようにするのがベストです。まとめるときには、まず**公式・定理を書き**、**その下にそれを導き出す証明も書いておく**ようにしましょう。

# 数学のテスト勉強法

数学のテスト対策では、なるべく多くの問題を解くこと、疑問点を解消しておくことが重要です。

## ワーク・問題集を解く

ワークや問題集などで、テスト範囲になっているところの問題をたくさん解きましょう。数学はアウトプットが非常に大切な教科なので、とにもかくにも手を動かすことが必要です。問題を解くときには、次のポイントを意識してください。

**1．すぐに答えを見ない**

まずは自力で解いてみること。10分考えてもわからなければ、ヒントや答えを見てみましょう。

**2.「はかせの法則」で計算**

速く・簡単・正確に計算できるよう心がけます。

**3. 問題に印をつける**

丸つけの際、解けたら◯、惜しかったら△、解けなかったら×をつけましょう。△と×のものを解き直し、すべての問題に◯印がつくまでくり返します。

## Bノートを作る・解く

テスト前になったら、授業の復習のときにBノートに書いておいた問題を解き直します。自分専用の解説がついているので、普通の問題集を解くより頭に入ってきやすいはずです。自力で解けるようになるまでやってみましょう。

また、テスト勉強中に新たに出てきた「何度も間違えてしまう問題」も、Bノートに追加しておきましょう。テストまでに自分の力で解けるよう、何度も復習してみてください。

## Cノートを作る・読み返す

授業後にまとめておいたCノートの公式や定理もチェックしましょう。これらは自分で証明ができるかどうかも確認してください。

また、テスト勉強中に新たに出てきた「これは覚えておきたい！」というポイントや知識があれば、Cノートに追加してテストまで何度も見返しましょう。

## 先生に質問に行く

テスト勉強をしていて疑問やわからないところが出てきた場合は、迷わず先生に質問をしに行きましょう。

質問が苦手な人もいるかもしれませんが、**数学の質問にはコツがあります**。それは、「どこまではわかっていて、どこからがわからないのか」を先生に具体的に伝えることです。たとえば、「この公式自体は知っているんですが、この問題を解くときにどうしたらその公式を思い浮かべられるのかがわかりません」などと質問をすれば、先生もアドバイスがしやすくなり、自分も理解がしやすくなります。ぜひ意識してみてくださいね。

# みおりんの筆箱の中身＆おすすめ文房具をご紹介！

勉強する上で欠かせない文房具。わたしが東大受験生時代に筆箱に入れていたペンや、最近のおすすめアイテムをご紹介しちゃいます。筆箱はペン立てのようにして使える「ネオクリッツ」（コクヨ）。高２くらいの頃から何年も愛用していました。主な中身はこんな感じ。

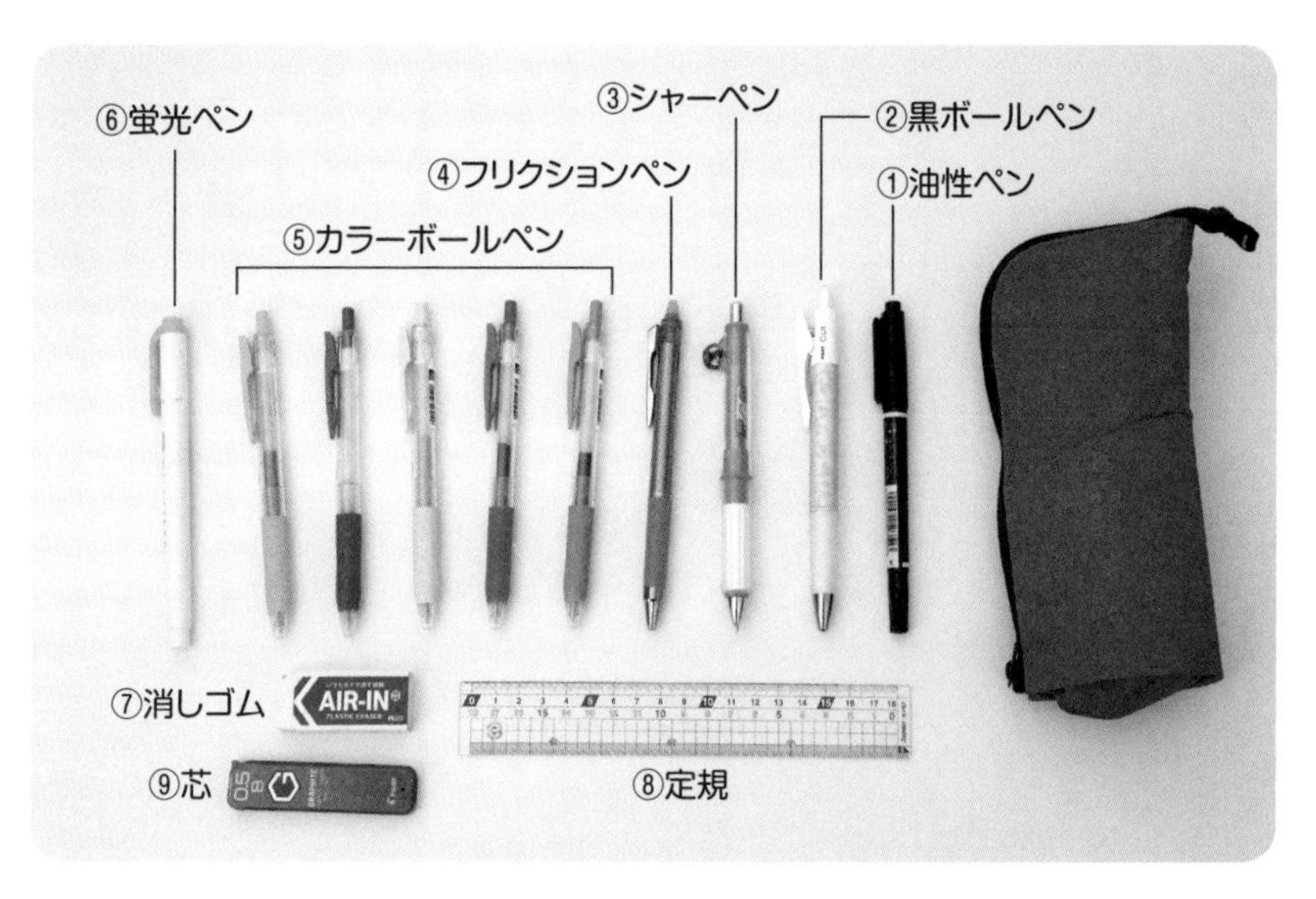


**①油性ペン**
名前を書くときはもちろん、自分キャンペーンの張り紙など意外とよく使っていました。

**②黒ボールペン**
授業ノートをボールペンで書くことも多かったので常備。最近ではOpt（PILOT）が書きやすくてイチオシです。

**③⑨シャーペンと芯**
ドクターグリップシリーズ（PILOT）が特にお気に入り。芯は昔からずっとBの0.5㎜です。

**④フリクションペン**
ボールペンなのに消せるので、ちょっとしたメモなどに最適です。

**⑤カラーボールペン**
SARASAシリーズ（ZEBRA）がお気に入りです。赤・青・緑・水色に加え、赤シートで隠れやすい黄色（オレンジ色）を持ち歩くことも。

**⑥蛍光ペン**
高校時代からずっとマイルドライナー（ZEBRA）を愛用中。目に優しいおしゃれな色合いが魅力です。

**⑦消しゴム**
いろいろ使いましたが、最近はAIR-IN（PLUS）かMONO（トンボ鉛筆）が好き。

**⑧定規**
透明でマス目が入っているものを使っていました。

# 国語のノート勉強法

## 国語の勉強法の基本

国語は大切な教科でありながら、勉強法がわからないという人もかなり多いのではないでしょうか。「国語は才能だ！」などと言う人もいますが、そんなことはありません。正しい勉強方法を押さえれば、必ず得点を上げることができます。一緒にがんばりましょう！

### 国語の勉強で使うもの

国語の勉強では、次のようなものを用意しておきます。

- 教科書、漢文の白文
- ノート
- ワーク
- シャーペン（鉛筆）
- カラーボールペン（4色）
- 単語カード
- レコーダーやスマホなど声が録音できるもの

## 現代文は「メッセージ」探し

現代文、特に説明文（評論）でカギとなるのは「筆者のメッセージを見つける」こと。**現代文とは基本的に、伝えたいメッセージを筆者があの手この手で説明している文章です。**比喩（ひゆ）（たとえ話）や言い換えを頼りに、そのメッセージを探し出す練習をしましょう。

物語文（小説）も同じことがいえますが、説明文と違うのは、登場人物の心情やその変化を追わなくてはならないことです。少しずつでかまわないので、**普段から読書の習慣を**

**つけておく**とこうした心情の描写にも敏感になることができます。

## 古文・漢文は単語と文法がカギ！

古文・漢文の勉強は英語の勉強と似ています。読解も大事ですが、そのベースとなるのは「単語」と「文法（句形）」。まずはこの2つを確実に押さえておく必要があります。

古文単語はたくさんあって大変そうに見えるかもしれませんが、じつは**入試などのために暗記が必要な単語数は多くありません**。中学なら授業で習うレベルをマスターすることを心がけ、高校なら市販の単語帳を1冊用意し、その1冊をやりこめばＯＫです。

古典文法は、特に助動詞と敬語をマスターできるようにしましょう。普段から授業などで扱った文章はすべて品詞分解できるようにしておくのがベストです。

漢文は**重要句形をしっかり覚えるようにしましょう**。漢文は暗記する事項が少なく、受験では「最もコスパがいい」といわれることもあるお得な科目です。学校で習う句形を確実に理解しておくようにしましょう。

## 答え方のルールは常に厳守！

国語の勉強で気をつけてほしいのが、**「答え方のルールをしっかり守る」**ことです。たとえば、「〜はなぜか」と聞かれたら「〜から（ので・ため）。」で答えるなど、**自分で勉強するときにも必ず徹底して答え方のルールを守る**ことをクセにしておきましょう。

## 国語のテスト勉強のゴール

国語のテスト勉強では、次のような状態を目指して対策をしましょう。

- □ **【現代文】教科書の本文に出てくる新出漢字をすべて読み書きでき、新出用語をすべて説明できる**
- □ **【現代文】授業中に考察した部分（「〜の部分はどういう意味なのか」「〜のときの登場人物はどのような気持ちなのか」など）に対して、自分なりの説明ができる**
- □ **【古文・漢文】授業で出てきた単語や文法事項を完璧にする**
- □ **【古文・漢文】教科書の本文をすべて現代語訳できるようになる**
- □ **【古文・漢文】教科書の本文をすらすらと音読できるようになる**
- □ **【古文】教科書の本文をすべて品詞分解できるようになる（主に高校生）**
- □ **【漢文】教科書の本文について、白文を見て訓点を正しく振れる（主に高校生）**

# 国語の予習のやり方

古文と漢文は、事前の予習がとても大切です。一方、現代文は授業中に考えを深めることのほうが重要なので、予習は余裕があればでＯＫです。

## 【現代文】余裕があれば漢字と用語をチェックする

基本的には予習はしなくてもかまいませんが、時間がある場合は教科書をひととおり黙読してみて、知らなかった漢字や用語に印をつけておくといいでしょう。用語は事前に意味を調べておくと、周りの友だちに一歩差をつけることができるかもしれません。

## 【古文・漢文】授業ノートを作っておく

### 1 ノートを４つに分割する

古文・漢文の予習では、英語と同様、まずは見開きのノートを用意して4つのスペースに分割します。

国語の教科書や板書は縦書きなので、ノートも縦に開いて使います。

## ❷原文を書き写す

次に、授業で扱う文章の原文を、見開きノートの上ページ、Aの部分に書き写します。

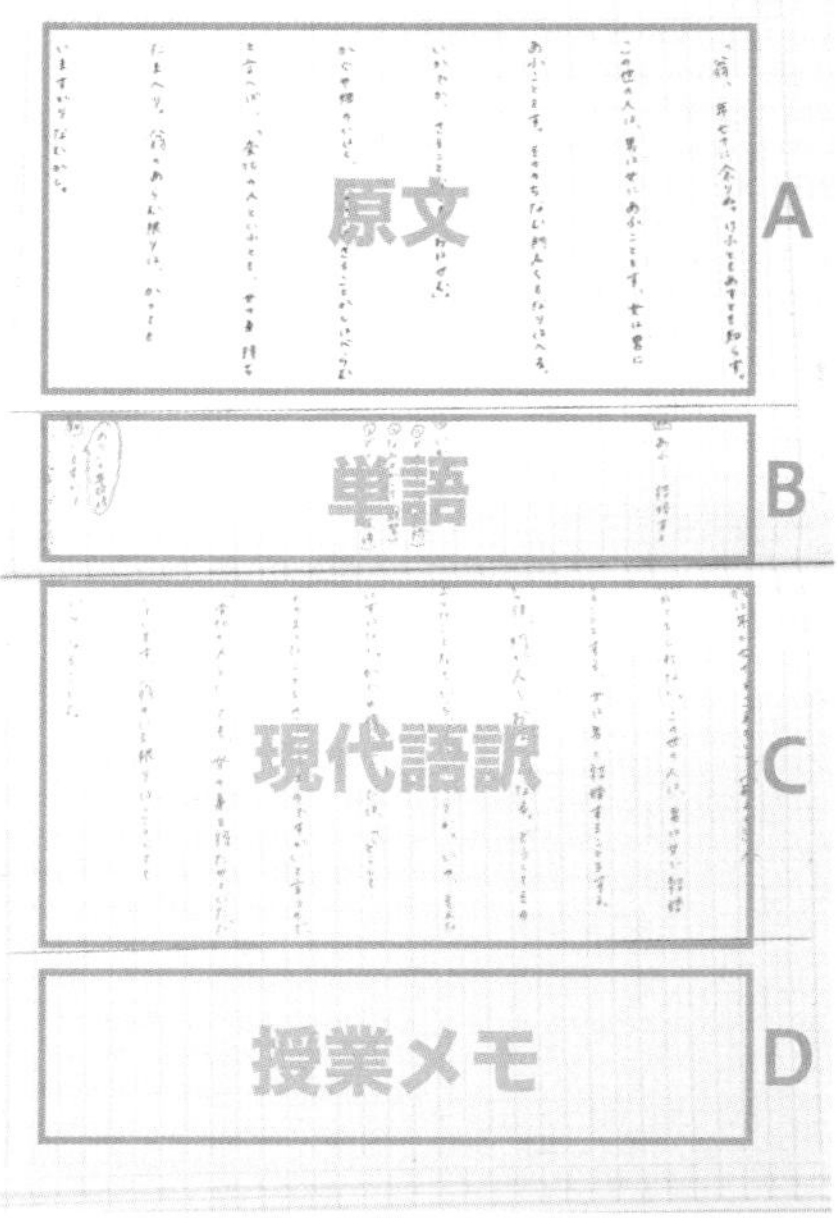

古文・漢文では品詞や句形の解説をたくさん書き込む必要があるので、原文の書き写しは3行ほどずつ空けてするのがおすすめです。漢文の場合は、ノートの罫線を無視してもいいので、なるべく大きめの文字で書いておくと、あとからメモを書き込みやすくなります。

授業までにこの状態に。漢文も同様です。

### ③ 自分なりの現代語訳を書く

原文を書き写したら、見開きノートの下ページ、Cの部分にその現代語訳を書いていきます。こちらも原文と同様、2～3行ほど空けて書いていくと、あとから訳の直しを書き込むときに便利です。

現代語訳はなんとなく雰囲気が合っていればOK、と思う人もいるかもしれませんが、そんなことはありません。**テストや入試では、その部分の単語や文法知識をしっかり理解して訳せているかどうかが問われます。**古文なら助動詞と敬語、漢文なら重要句形に特に気をつけて丁寧に訳していきましょう。

### ④ 知らない単語を調べる

今回初めて知った単語や文字などに傍線を引き、それらを辞書で調べましょう。調べた単語はBの部分に書いていきます。

古文・漢文の予習の理想はこの順序ですが、もし難しければ③と④は逆でもかまいません。ただし、どこまで自力でできたのかをわかるようにするため、調べた単語には必ず線やマークをつけておきましょう。

# 国語の授業の受け方

現代文の授業、古文・漢文の授業の順で受け方のポイントをご紹介します。

## 【現代文】説明文（評論）は筆者のメッセージを考える

はじめにお伝えしたように、説明文（評論）は筆者のメッセージを見つけるのがいちばんのカギ。筆者はそのメッセージをわかりやすく伝えるために、いろいろな例を出したり言い換えをしたりして説明しています。

授業では、「ここはどういう意味だろう？」とみんなで考察するポイントがいくつかあると思います。こうしたポイントを一つずつ解き明かしていくことで筆者のメッセージを理解することができるので、授業では積極的に議論に参加するようにしましょう。

## 【現代文】物語文（小説）は人物の心情とその変化に注目

物語文（小説）では、登場人物の心情（気持ち）の変化を追うことが重要。心情は「うれしかった」「悲しかった」とストレートに書かれていないことも多いので、その心情のヒントとなるような表現を探すのがポイントです。

授業でも、「このときの登場人物はどんな気持ちなんだろう？」とみんなで考えるところがあると思います。答えは必ずしも一つだけではないので、情景描写や人物の行動をヒントに、想像力を働かせてたくさん考察しましょう。そのときに考えたことはぜひノートにたくさんメモしておくようにしてください。授業の印象が深まり、復習やテスト勉強の際の効率がアップします。

## 【現代文】テスト勉強を見越した授業ノートを作る

説明文（評論）でも物語文（小説）でも、**授業中に先生が出した問題はテストで出題される可能性が高いポイント**です。テスト勉強の際にわざわざまとめノートを作るのは非効率なので、テスト対策に使えるノートを授業の時点で作ってしまいましょう。

p26. l.10
太郎が花子に怒ったのはなぜか。
(花子が太郎に何も言わずに一人で帰ってしまい、寂しく思った)から。

p27. l.5
花子は太郎に何を言いたかったのだと考えられるか。
(親友ならば転校という重要な出来事については伝えるべきだ)ということ。

p27. l.13
「燃えるような夕焼けが、夜の青い闇に包まれて消えていった。」とは、どういうことを表しているか。
(花子の不安や激しい感情が、太郎の言葉によってだんだんとおさまっていった)こと。

オレンジ色のペンは赤シートで隠れやすいので、おすすめです。

作り方は簡単。上の写真のように、**授業ノートに教科書のページ番号と行番号、問題を書きます。そして授業中にみんなで考察して出た答えを、赤ペンやオレンジペンなどで書いていきます。**

こうしておけば、テスト勉強の際、ペンで書いた答えの部分を赤シートで隠して暗記ノートのように使うことができます。

## 【古文・漢文】自分の現代語訳を直す

古文・漢文は、原文の内容をみんなで読み解く授業が基本かと思います。先生が教えてくれた現代語訳はしっかりメモをとり、予習の際に自分が書いていた訳と見比べましょう。英語と同様、自分の訳と教わった訳を区別するため、それぞれ違う色のペンで書くようにしてください。

## 【古文・漢文】古典文法と漢文句形の知識をメモする

古文・漢文では**文法事項の解説**もきちんとメモするようにしましょう。特に、新しく習った古典文法や漢文句形は重要です。授業ノートのDのスペースに、知っていたことと知らなかったことを色分けしながら書き込んでおきます。

また、授業内容と直接関係なくても、先生が雑談のように話してくれた知識は復習や入試の勉強の役に立つことがあるので、なるべくメモをしておくようにしましょう。

授業後はこのようなノートに。

# 国語の復習のやり方

授業が終わったら、その後のテスト勉強をスムーズにするためにも、ぜひ復習をしておきましょう。

## 【現代文】授業ノートを見返す

現代文は**授業ノートを軽く読み返しておきましょう**。余裕があれば**漢字の復習**などをするのもおすすめです。

## 【古文・漢文】授業ノートを見返す

古文・漢文も授業ノートを開き、どんな内容の文章だったのかおさらいしておきましょう。特に、色分けして書いた「**初めて知ったこと**」や「**現代語訳の直し**」部分は要チェッ

クです。この場ですべて覚える必要はないので、なんとなく印象に残しておこう、くらいの気持ちで確認してみてください。

### 【古文・漢文】単語カードを作る

新しく出てきた単語は一カ所にまとめておくと、テスト勉強のときに単語暗記がしやすくなります。英語のように単語カードを作ってもいいし、もしカードが作りづらいという人は次のCノートにまとめてもOKです。

### 【共通】Cノートを作る

授業で習ったことのうち、**今後のためにまとめておきたい内容**があればCノートにまとめます。なんでも書くのではなく、たとえば俳句に使われる季語や古文の係り結びなど、一度のテストだけでなく入試まで何度も確認しておきたいポイントをまとめるようなイメージです。

また、古文・漢文の新出単語をまとめる場合もCノートが向いています。Cノートにまとめる場合は、単語用のページを用意し、そこに追加しておくのがおすすめ。やり方は自由ですが、ページの真ん中で分割して古文単語エリアと現代語訳エリアに分け、現代語訳を赤シートで隠せるようにしておくと暗記に使いやすいノートになります。

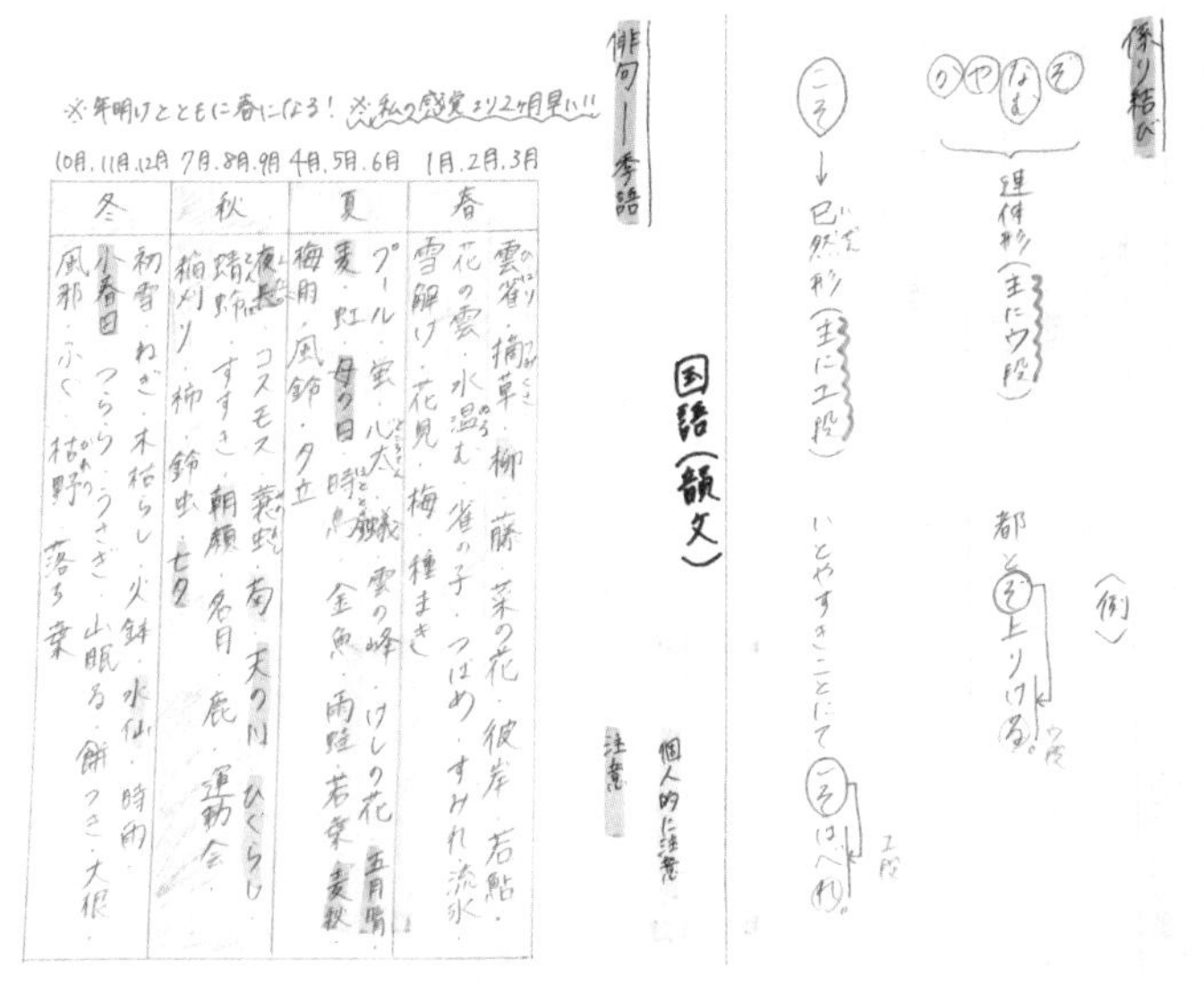


季語や係り結びをまとめたＣノート。

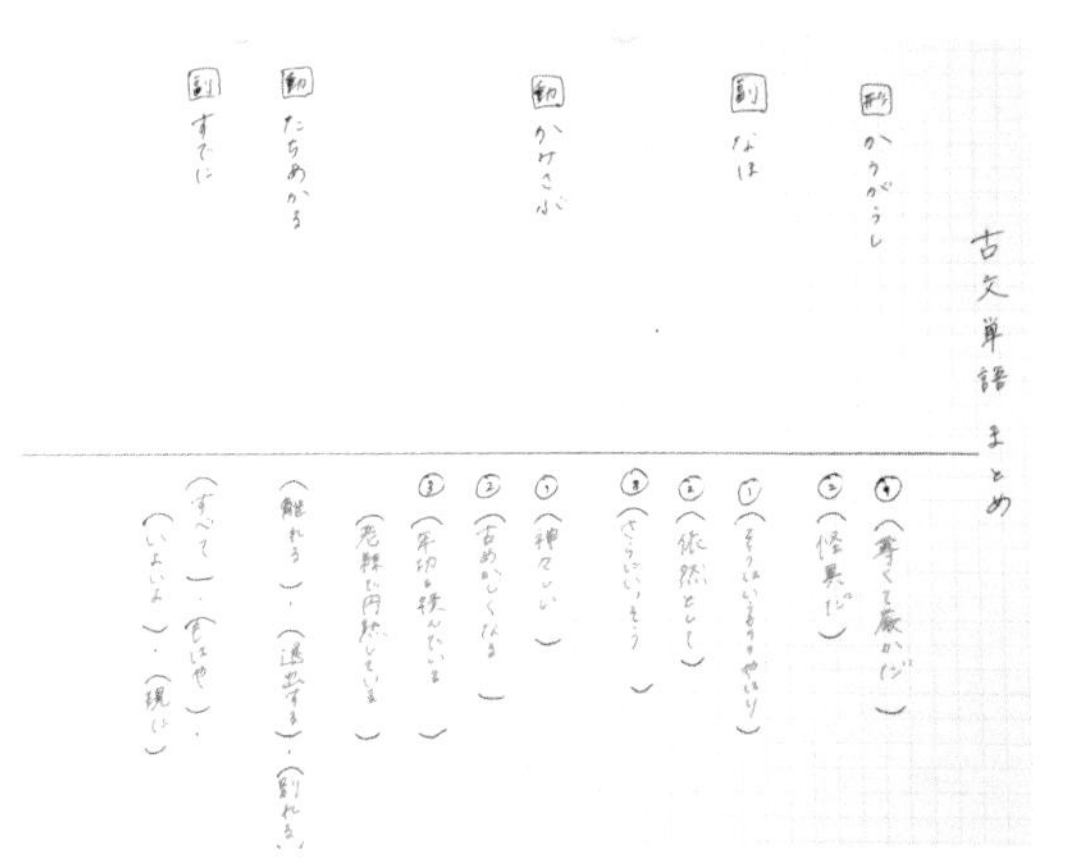


赤シートで暗記に使えるようにした古文単語ページ。

# 国語のテスト勉強法

国語のテスト勉強の方法は現代文・古文・漢文それぞれで少し異なるので、はじめに国語全般の勉強法を説明したあと、それぞれの勉強法をご紹介します。

## 【共通】授業ノートを見返す

現代文・古文・漢文いずれもテスト前に授業ノートを読み返すようにしましょう。特に、赤ペンで書いた「先生の解説のうち初めて知ったこと」や、古文・漢文の文法知識に関するメモはしっかり確認してください。

## 【共通】ワークなどをAノートに解く

現代文なら漢字や文法、古文なら古典文法、漢文なら句形などのワークを解きましょう。

ワークに直接書いてもOKですが、Aノートを使えば何度も解き直しをすることができます。

## 【共通】Bノートを作る

先ほどのワークなどで間違えてしまった問題を、必要に応じてBノートにまとめておきます。国語のBノートは読解問題には向きませんが、暗記が中心となる文法問題には特に適しています。

## 【共通】Cノートを作る・読み返す

テスト勉強中に初めて知ったことで、「今後も覚えておきたい」というものがあれば、Cノートに書き込んでテストまで何度か見返すようにしましょう。

文法や単語などの知識はもちろんですが、国語の場合は**解き方のコツやテクニック**をまとめておくのも効果的。たとえばわたしは次ページの写真のように、問題集や模試の解説冊子に書いてあったことをまとめていました。

東大現代文における解答の仕方、考え方

◎問われていることに対して明記されている箇所がない場合
↓本文からできる限り要素を拾い上げてくる

☆一つの考え方としては、たとえば「A⇕B」の図式で、Aについてはいろいろ書いてあるのにBについてはあんまり。でもBを問われちゃった!!というときは、Aを裏返してみる。

◎「いわば○○」の部分は言い換え・説明をしないと解答に入れられないよ!

◎「　」や〈　〉つきで表記されているものは、筆者が語義以上の意味を込めているのだから そのまま使ってはいけない。

◎並列が長いものをまとめなきゃならない場合
↓一つだけ拾ったり短い言葉にかえたりする

問題集などの解説にある、ちょっとしたテクニックも書き込みます。

こうしたものはそのときのテストだけでなく、模試や入試のたびに使えるのでとても重宝します。

## 【現代文】教科書を黙読・音読する

現代文は教科書のテスト範囲になっている部分を読み返しておきます。**黙読と音読を2~3回程度ずつ**しておけば、本文の内容を頭に入れることができるでしょう。

## 【現代文】授業ノートの問題を解く

赤シートで答えを隠せるようにしておいた授業ノートの問題を解いていきます。現代文は、授業中は自分なりの考えをもつことがとても大切な科目ですが、テスト対策にはある程度「答えを覚える」作業も必要になります。何度かくり返すことで答えを確認しながら本文の理解を深めていきましょう。

### 【現代文】漢字の練習をする

教科書の本文中に出てきた漢字は確実に「読める」「書ける」状態にしておきましょう。別のワークなどでテスト範囲の指定がある場合は、そちらの漢字もしっかり練習をしておきます。漢字の勉強には、どんどん問題を解く用のAノートがおすすめです。

### 【古文】教科書を音読する

古文や漢文は音読がとても重要です。声に出して読み、その声を耳から聴くことで原文の内容が頭に入ってきやすくなります。古文の場合は、原文（できれば書き込みのないもの）を用意してそのまま音読すればＯＫ。音便（おんびん）などに注意しつつ、古文のリズムに慣れるまで音読をくり返しましょう。

## 【漢文】音読&書き下しの練習をする

漢文は音読と書き下しの練習を組み合わせておこなうのが効果的です。次のようなステップで勉強すると、テストでも高得点を期待することができます。

**❶ 訓読文を書き下し文にする（完璧にできるまで何度でも）**

書き込みのない訓読文（教科書のコピーなど）を用意し、Aノートなどに書き下します。終わったら授業ノートなどと照らし合わせて答え合わせをし、間違っていた部分を直します。

**❷ 書き下し文を音読する（5回程度）**

①で作った正しい書き下し文を音読します。

**❸ 白文に訓点を振り、訓読文にする（完璧にできるまで何度でも）**

書き込みのない白文（授業で配布などがされていない場合は自作する）を用意し、なにも見ずに訓点を振ります。終わったら教科書などと照らし合わせて答え合わせをし、間違っていた部分を直します。

### ❹訓読文を音読する（5～10回程度）

教科書もしくは③で作った正しい訓読文を、録音しながら音読します（心の中で書き下しながら読みます）。終わったら正しい書き下し文と照らし合わせながら録音を聞いて答え合わせをしましょう。

### ❺白文を音読する（5～10回程度）

書き込みのない白文を用意し、音読します（心の中で書き下しながら読みます）。終わったら正しい書き下し文と照らし合わせながら録音を聞いて答え合わせをします。

## 【古文・漢文】現代語訳を確認する

古文・漢文は英語と同様、訳を完璧にマスターしておくことが高得点への近道です。

レコーダーやスマートフォンなど録音ができるものを用意し、**原文を目で見て、現代語**

春はあけぼの。やうやう白くなりゆく山際、
少し明かりて、紫だちたる雲の細くたなびきたる。
夏は夜。月のころはさらなり、闇もなほ、蛍の
多く飛びちがひたる。また、ただ一つ二つなど、
ほのかにうち光りて行くもをかし。雨など降るも
をかし。

品詞ごとに印を決めておくと、品詞分解が見やすくなります。

**訳を口に出して録音します。録音ができたら、正しい訳をメモした授業ノートを見ながら再生し、合っていた場所、間違った場所を確認しましょう。**

テストまでに、原文を見て正しい現代語訳をすべて言えるようになればＯＫです。

## 【古文】単語カードをくり返しやる

授業の復習時に作っておいた単語カードや単語ノート（Ｃノート）をやりこみます。古文単語は授業で習ったものや古文単語帳にあるものをマスターすれば、必ず入試対策にもつながります。自分なりの方法でかまわないので、意味を言えるようになるまで何度もくり返しましょう。

## 【古文】全文を品詞分解する

古文では、全文を品詞分解できるかどうかで単語や文法の理解度を測ることができます（特に高校の場合）。

**品詞分解とは、文章を品詞ごとに分解してそれぞれの意味や活用形などを分析すること。**特に助詞や助動詞は確実に意味と活用形を言えるようにしておきましょう。

品詞分解の印のつけ方は、先生に指導されたものがあればそのとおりでかまいません。特に決まりがない場合は、右ページの写真のように**助詞は三角、助動詞は四角で囲んでマークし、意味と活用形を書き込むようにする**とわかりやすいと思います。

# 理科のノート勉強法

## 理科の勉強法の基本

理科は実験や観察があったり、計算要素があったり、暗記事項があったりとなかなかバラエティに富んだ教科です。まずは勉強法の原則を押さえましょう。

### 理科の勉強で使うもの

理科の授業や自習では、次のようなものを用意しておきます。

- 教科書
- 読みやすい参考書
- ノート
- ワーク
- シャーペン（鉛筆）
- カラーボールペン（４色）

「読みやすい参考書」というのは、教科書だと理解しづらい部分を易しい言葉で解説してくれているような参考書。特に高校の理科では手もとに持っておきたいものです。

## いつでも心に「？」を

理科の内容を学ぶ上で最も大切なのは、「なぜ？」「どうなるんだろう？」と疑問に思う心です。

教科書を読めばその実験の結果がどうなるかや、それがなぜなのかという正解が書いてあります。ですが、はじめから答えを見るのではなく、自分の力で予想をしたり、考察をしたりするクセをつけておくことで、テストなどで応用問題が出題されたときにも柔軟に発想することができます。この力は大人になってからも必ず役に立ちます。

## 実験や観察は3点セットを意識

「実験」や「観察」があるのは、理科の授業の特徴の一つ。学校のテストや入試でもこれらに関する問題はよく出題されます。

実験や観察では、次の3つをセットで理解するようにしましょう。

**1．内容**
その実験や観察の手順、使用する道具の名前、その使い方など

**2．結果**
その実験や観察によってどのようなことが起こったか（見えたか）

**3．考察**
結果からいえること

この3点セットを意識するだけで、理科の勉強のコツがつかみやすくなりますよ。

## 「覚える→解く→まとめる」のステップで勉強する

理科の基本的な勉強のステップは、「覚える」→「解く」→「（必要に応じて）まとめる」の順です。

**まずは授業やその予習・復習を通して、学習内容を覚えます。**生物や地学なら用語暗記などが多かったり、物理や化学なら公式暗記があったりすると思いますが、**いずれの場合もただ丸暗記するのではなく、「なぜその公式になるのか」など、納得してから覚えることを意識しましょう。**

**次に、問題集などで問題を解きます。**特に計算がからむものはなるべく多くの問題を解くことが大切です。間違えたものはそのままにせず、なぜ間違えたのかを突き止めてきちんと復習しましょう。

**最後に、必要に応じてまとめノート（Cノート）を作ります。**理科はなぜかすぐにまとめノートを作ろうとする人も多いのですが、授業のたびにまとめていたのではキリがないし、時間がかかってしまうので、「ノートにまとめるのは、何度も間違えてしまったり、なかなか理解できなかったりしたときだけ」という原則をしっかり守りましょう。

## 理科のテスト勉強のゴール

理科は、テストまでに次のような状態を目指しましょう。

- □授業で出てきた実験や観察の内容を、絵や図で描くことができる
- □授業で出てきた実験や観察の結果とそこからの考察を説明できる
- □用語を暗記していて、正しく書くことができる
- □公式を使って計算ができる

理科に苦手意識がある場合は、物理・化学・生物・地学のどれか1つでも得意にできるよう勉強すると自信がつきますよ♪

# 理科の予習のやり方

理科は授業での学びが重要なので、予習はそれほど力を入れなくても大丈夫です。余裕があれば次のようなことをしておきましょう。

## ざっと教科書を眺める

授業でやる予定の範囲を教科書で読んでおきましょう。すみずみまで読み込まなくても、なんとなくこういうことをやるんだなとわかる程度でかまいません。

## 読みやすい参考書に目を通す

教科書がわかりづらい場合は、わかりやすく解説してくれている参考書を読むのでもOKです。このとき使う参考書は、**入門編のような易しいレベルのもの**がおすすめです。

# 理科の授業の受け方

理科の授業は、実験や観察などがある**参加型**のものと、先生の解説が中心の**講義型**のものに大きく分かれます。それぞれの受け方のポイントを押さえておきましょう。

## 参加型（実験や観察）の授業の受け方

実験や観察をおこなう授業では、まずはそうした**実験や観察に積極的に参加する**ようにしましょう。自分で手を動かしたり、「なぜ？」「このあとどうなる？」などと考えたりした体験は印象に残りやすく、のちのちの復習やテスト勉強の効率もアップさせてくれます。

また、先ほどお伝えした3点セット「①内容（やったこと）」「②結果（どうなったか）」「③考察（なぜそうなったか）」をしっかり意識するようにしてください。③の考察については、授業ではぜひ自分なりの考えをたくさんノートに書いたり、みんなに発表したりしてみましょう。友だちの考察もメモしておくと、考えが深まったり、授業の印象が強く残ったりするのでおすすめです。

## 講義型の授業の受け方

講義タイプの授業では、先生の話を聞きながら授業ノートやプリントにメモをとってい

物質の成り立ち

熱分解

〈実験の内容〉

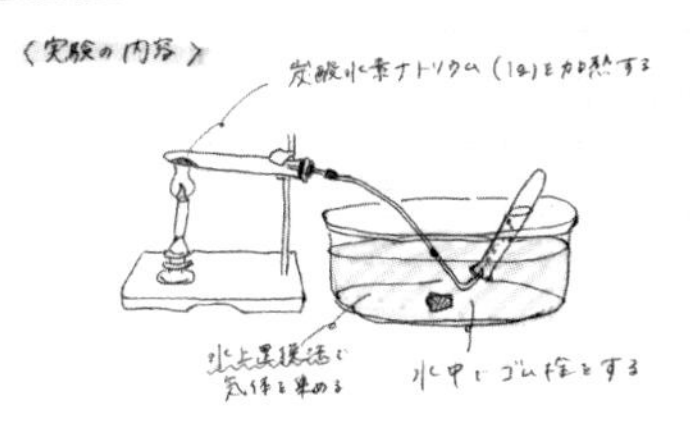
炭酸水素ナトリウム(1g)を加熱する
水上置換法で
気体を集める
水中でゴム栓をする

→発生した気体、生じた液体を調べる

〈実験の結果〉

- 気体が発生した
  - ↳石灰水と加えて振ると、白くにごった
- 生じた液体に青色の塩化コバルト紙をつけると、赤色に変化した
- 加熱前後の固体の違い

| | Before 炭酸水素ナトリウム | After 加熱後の固体 |
|---|---|---|
| 水への溶けやすさ | 溶けにくい | よく溶ける |
| フェノールフタレイン液への反応 | 薄い赤色に変化 | 濃い赤色に変化 |

〈考察〉

☆発生した気体は二酸化炭素
　理由）石灰水が白くにごったから
☆生じた液体は水
　理由）青色の塩化コバルト紙が赤色になったから
☆加熱後の固体は、炭酸水素ナトリウムとは異なるもの
　理由）水への溶けやすさや水溶液のアルカリ性の強さが違うから

実験や観察は、ノートでも３点セットを意識。

く作業がメインになります。このとき、**「あとで読んだときに授業の光景を思い出せるようなノート」**を意識してみてください。

そのためには、用語や重要ポイントをメモするのはもちろん、先生の話してくれた覚え方のポイントや豆知識、雑談なども書き込んでおくのが効果的です。理科はただ用語や計算式を並べているだけでは無機質で覚えづらくなってしまうので、ぜひこうした「イメージが湧きやすくなる」工夫をしてみてください。

また、**授業中に参照した教科書や資料集のページ番号は必ずノートやプリントに書いておくようにしましょう。**こうしておけば、復習のときにも必要な情報がすぐ見つかるようになります。

# 理科の復習のやり方

授業が終わったら、記憶の新しいうちに軽く復習をしておきましょう。特に実験や観察の授業では片づけでバタバタしてしまうこともあるので、帰ってからしっかり「どんな実験・観察だったのか？」をおさらいしておくことが大切です。

## 授業ノートを見返す

授業中にとったノートやプリントを読み返しましょう。どんな教科でもそうですが、授業のあったその日のうちにもう一度その内容に触れることで、記憶の定着度が上がります。

特に**実験・観察の授業なら3点セット、講義の授業なら新しく出てきた用語や計算式**をよくチェックしておきましょう。

## 参考書で授業範囲をおさらいする

余裕があればでかまいませんが、授業で勉強した内容を参考書などでもう一度読んでおくとより理解が深まります。授業中にはしっかり理解できていなかったポイントが「そういうことだったのか!」とわかることもあるので、軽くおさらいしてみましょう。

## ノートやプリントを整理しておく

テスト前や受験勉強のために、授業ノートやプリントを整理しておくのもおすすめです。単元のキリのいいところまで授業が終わったら、プリントに穴をあけてファイリングしたり、インデックスシールを貼って読み返しやすくしたりしておきましょう。

この段階では、まとめノートはまだ作りません。ノートは、テスト前の勉強でどうしても覚えられないところがあったときだけまとめるようにしましょう。

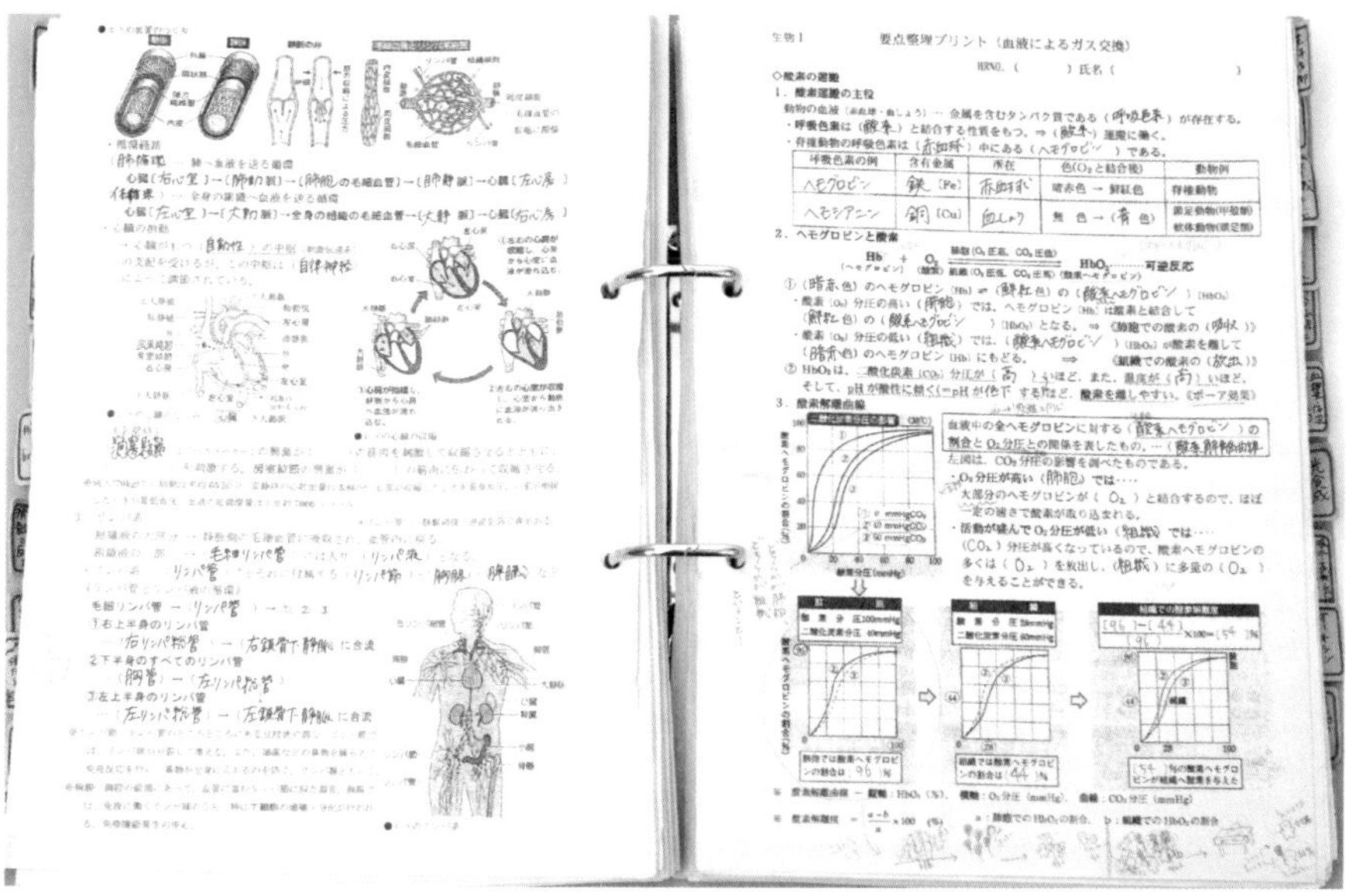


高校時代のノート。授業で配られたプリントを整理して、単元やトピックごとにインデックスシールを貼っています。

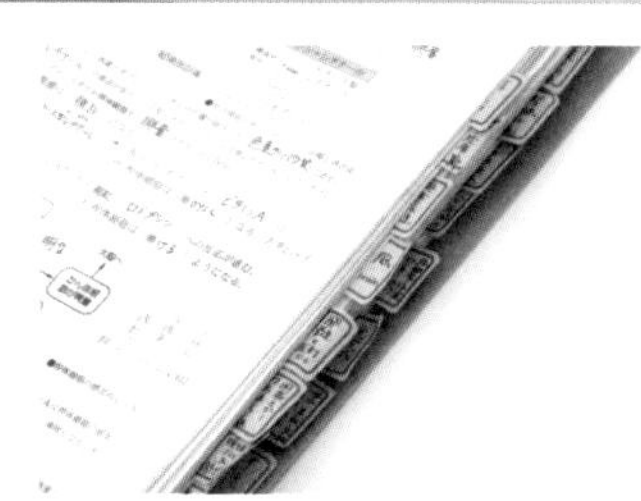

# 理科のテスト勉強法

理科のテスト対策では、暗記事項をしっかり覚えることと、公式などを使って答えを導き出す練習が必要です。次のようなことを丁寧にやっていきましょう。

## 授業ノートと教科書で流れをおさらいする

まずはあらすじを思い出すようなイメージで、テスト範囲になっている部分がどんな内容だったのかを振り返ります。授業ノートと教科書で該当の部分を読み返しつつ、記憶があいまいなところや苦手に感じるところがあったら参考書も読んでみましょう。

## ワークなどをAノートに解く

ワークや問題集などで実戦問題を解きます。特に化学反応式や計算式を使うようなものは、なるべく多くの問題に当たって慣れておくようにしましょう。ワークに直接解いてもかまいませんが、Aノートに解いておけば何度も解き直しができます。

問題を解くときには、ケアレスミスや漢字の間違いなども厳しく採点するようにしてください。また、「問題を読み違えた」「○○と××を混同していた」など、**間違えてしまった理由をメモしておく**と次回解くときに間違いづらくなります。

## Bノートを作る

他の教科と同様、解いて間違えてしまった問題は必要に応じてBノートに集約します。間違えたものすべてではなく、何度も間違えてしまうものや、入試までに複数回解き直したいものだけをピックアップするようにしてください。

理科にはいろいろな分野や単元があるので、Bノートは分野・単元ごとにページを分けておくとあとから解き直しがしやすくなります。ルーズリーフなどを使えば並び替えも便利です。

また、難しいものには次のように付箋を使ってヒントを入れるのもおすすめです。

Bノートの解説ページ

Bノートの問題ページ

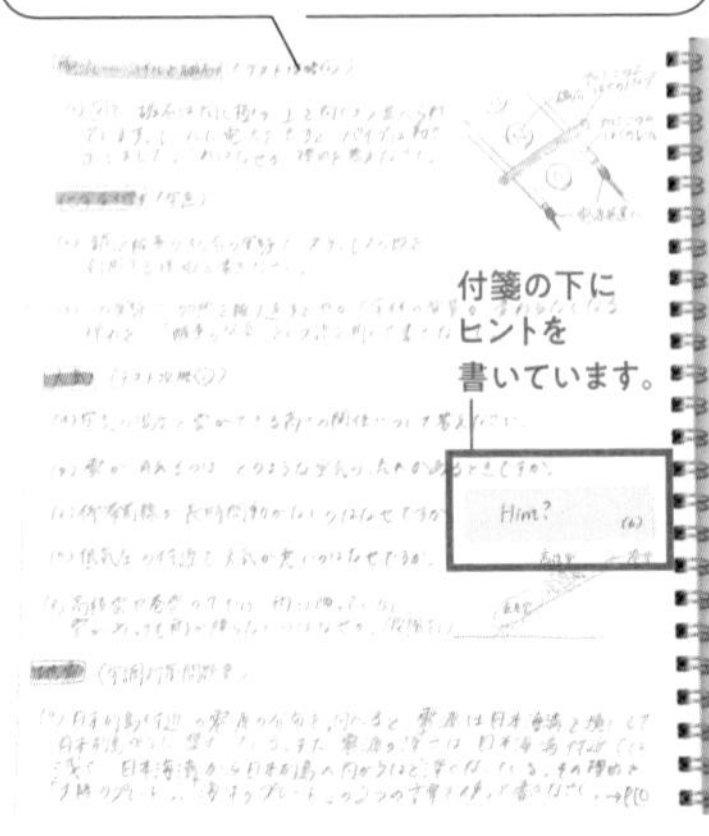


見やすいように色の数を抑える、付箋の下にヒントを書くなど工夫。

## 実験・観察は3点セットを覚える

実験や観察は「内容」「結果」「考察」の3点セットを確実にマスターしましょう。マスターしたかどうかの判断基準は、**上手でなくてもかまわない**ので、**その実験・観察の様子を自分で絵や図に描いて説明できること**です。理解が甘いと感じるものについては、次のCノートにまとめます。

## Cノートを作る・読み返す

しっかり理解できていない実験・観察や、何度か問題を解いて間違えてしまった項目はCノートにまとめます。

理科のCノートは、**絵や図を使って視覚に訴える**のがポイントです。また、自分なりの覚え方などもどんどん書き込んでおきましょう。

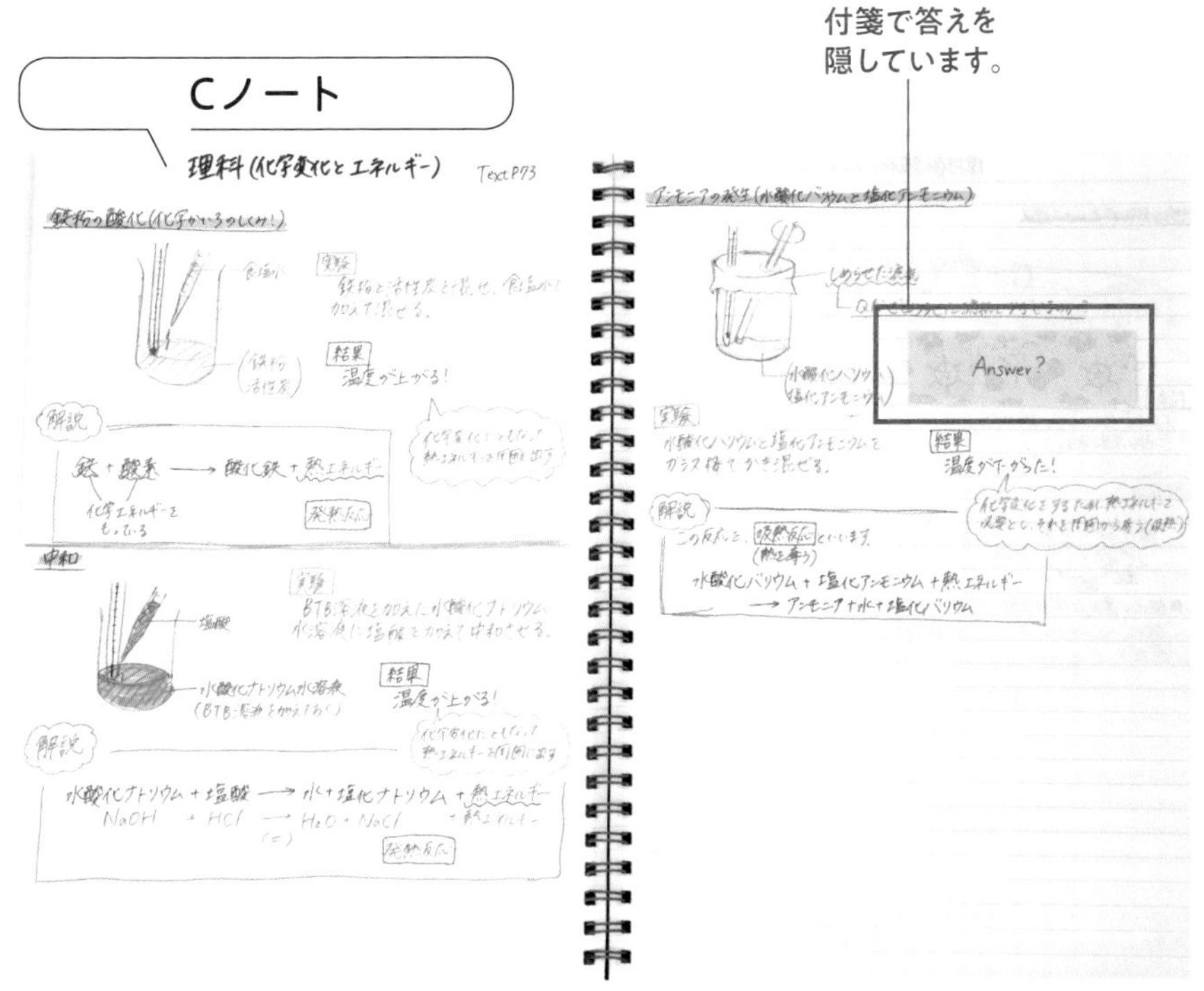


イラストや図を使った C ノート。ちょっとした問題を作って、付箋で答えを隠すのも good。

# 社会のノート勉強法

## 社会の勉強法の基本

社会は他の教科に比べて覚えることが多く、暗記の苦手な人は敬遠したくなってしまうかもしれません。ですが、ただ丸暗記するのではなく、理解や印象を深めながら学べば必ず記憶を定着させることができます。テスト勉強の効率を上げるための普段のノート作りの工夫もたくさんお伝えするので、一緒に楽しみながら勉強しましょう！

社会の勉強で使うもの

社会は歴史・地理・公民などに分かれますが、基本的には次のようなものを用意しておけばＯＫ。ノートは分野ごとに分けるのではなく、一冊にまとめてしまいましょう。

- 教科書
- 読みやすい参考書
- ノートまたはコピー用紙
- シャーペン（鉛筆）
- カラーボールペン（4色）
- 白地図のコピー（歴史や地理）

「読みやすい参考書」というのは理科と同様、教科書の内容をわかりやすく解説してくれているような参考書。特に高校の社会は教科書だけでは理解が難しいので、ぜひ持っておきたいところです。

## なによりも「印象づけ」が大切！

社会は5教科の中で最も「印象づけ」が大切だとわたしは思っています。

これまで何度もお伝えしているように、**物事は強い印象がつくと覚えやすくなります。**たとえば新学期のクラスの自己紹介で、いきなり大爆笑をとったクラスメイトがいたら、その人の顔や名前は最初に覚えますよね。これはその人に「おもしろい話をした人」という印象がつくからです。覚えることがたくさんある社会の勉強では、なるべくそれぞれの用語に印象をつけて記憶に残りやすくすることが大事です。

分野ごとの「印象づけ」の基本的な方法はこんな感じです。

**◆歴史……用語や年号に「ストーリー」をつける**
**◆地理……地図などのビジュアルや豆知識とともに覚える**
**◆公民……日常生活と結びつける**

こうした印象づけをするためには、授業中に先生の雑談も含めてたくさんメモをとったり、普段からニュースや読書で知ったこととの関連を考えたりするのが効果的です。

## インプットは2つのステップで！

社会のインプット学習には、主に2つのステップがあります。

ステップ1は、用語自体の暗記です。言葉を知らないことには戦うことができません。授業で習った用語は必ず正しく読み書きできるようにしましょう。

ステップ2は、用語の意味（内容）や用語同士のつながりを覚えることです。たとえば、ステップ1で覚えた「織田信長」「明智光秀」などという用語があったとします。ステップ2では、

**◆織田信長……室町幕府を倒し、楽市・楽座などの革新政策をおこなった戦国大名**
**◆明智光秀……本能寺の変で織田信長を倒した武将**

といったことを、授業や教科書・参考書を読むことで覚えます。

## アウトプットではワークや問題集をくり返す

インプットした内容を覚えているか確かめるためにはアウトプットの練習が必要です。

アウトプット学習では、ワークや問題集をくり返し解くようにしましょう。高校生の場

合は覚える内容も多いので、用語自体の確認には**一問一答**を、用語の説明ができるかどうかの確認には**記述の問題集**を使うのがおすすめです。

社会も理科と同様、何度も間違えてしまうものや、どうしても流れが頭に入ってこないものだけノートにまとめます。なんでもかんでもノートにまとめるのは、手間や時間がかかってしまうので避けましょう。

## 社会のテスト勉強のゴール

テスト前には、次のような状態を目指して対策をしていきます。

□**用語を暗記していて、正しく書くことができる**
□**用語の意味や、用語同士のつながりを説明できる**

ゴールはシンプルですが、ただがむしゃらにやるのではかなりの時間がかかってしまいます。これからお伝えするコツを参考に自分なりの覚え方を確立して、効率よく勉強していきましょう。

# 社会の予習のやり方

社会では予習は重要ではありませんが、余裕があれば次のことをしておきましょう。

## ざっと教科書を眺める

教科書で、前回の授業のつづき部分を軽く読んでおきましょう。太字部分など、「こんな言葉が出てくるんだ」となんとなく記憶していると授業も理解しやすくなります。

## 読みやすい参考書に目を通す

教科書がわかりづらい場合は、噛み砕いて説明してくれている参考書を読むのもおすすめです。特に高校の世界史や日本史は教科書を初見で読んでもほとんど内容が頭に入ってこないと思うので、**入門編のような読みやすい参考書**を活用してみましょう。

# 社会の授業の受け方

社会の授業では、とにかくたくさんの情報をキャッチすることを意識してください。キーワードは、授業後やテスト勉強時に思い出しやすくするための「印象づけ」です。

## メモをたくさんとるのが大事！

印象づけの最も手っ取り早い方法が、授業ノートにたくさんのメモをとることです。**板書を写すのはもちろん、先生の言っていた豆知識や、多少脱線した雑談もできる限り書き込んでおきましょう。**

わたしは先生が言った、よくわからない豆知識までメモしていました。他にも、ちょっとした小噺(こばなし)やおやじギャグまで書き込んだり。正直テストや受験には全然役立たないのですが（笑）、これだけで授業の内容を圧倒的に思い出しやすくなります。

「配布プリント中心の授業でメモをする余白が足りない」という人には、プリントと一緒にメモ用紙をファイリングするのがおすすめです。

わたしはプリント中心だった高2の世界史の授業で、次ページの写真のように**縦半分に切ったコピー用紙**をメモ用紙代わりに一緒に挟み込んでいました。ルーズリーフでもよかったのですが、過不足ない量を気軽にメモできる方法を模索したらこの形に落ち着きました。メモのスペースはぜひしっかりと確保してみてください。

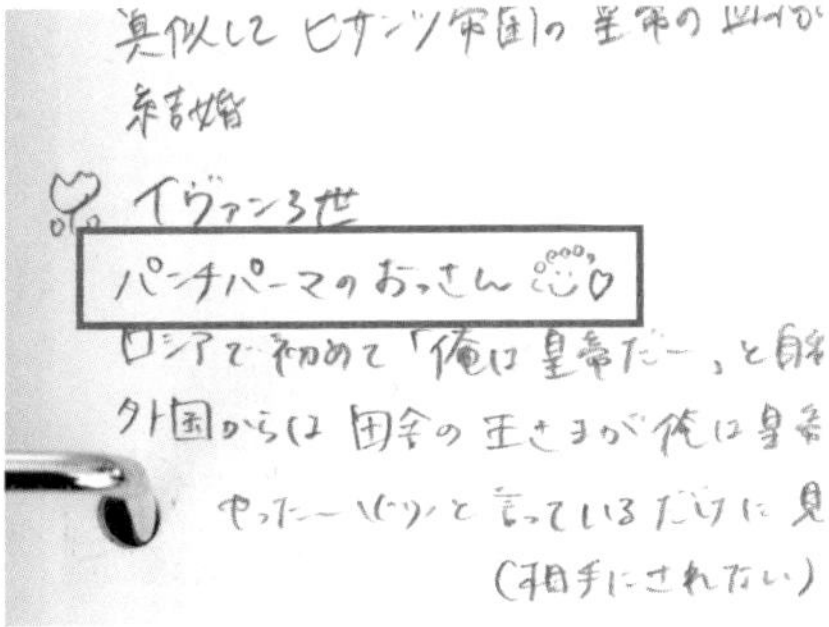

印象的なエピソードをメモ。「パンチパーマのおっさん」って（笑）

## ビジュアルの充実したノートにする

**「視覚に訴える」**というのも、社会の授業ノートで意識してほしいポイントです。ただ文字を連ねるのではなく、図解をしたり、教科書や資料集の写真をコピーして貼ったりして、直感的に理解しやすいビジュアルのノートを目指しましょう。

歴史や地理の授業なら、白地図を用意しておくのもおすすめ。言葉や矢印などを書き込み、ノート（もしくは授業プリント）に貼り付けていきます。

手で描けないものは
コピーを貼ってしまえばOK！

縦半分に切ったB5のコピー用紙を
メモとして活用。

## 暗記に使えるノートを目指す

もしできれば、社会の授業ノートは復習やテスト勉強の際にそのまま暗記に使えるようなノートにすることを目指してみてください。

穴埋めプリントを使っておこなわれる授業なら、**穴埋め部分の言葉を赤ペンなどで書いておきます。**板書を見て自分でノートをとる授業なら、**重要だと思われる語句をカッコでくくって赤ペンなどで書きます。**こうしておけば、あとから用語のチェックをしたいと思ったときに、赤シートを使うだけで暗記ノートとして活用することができます。

逆に、授業後に毎回ノートまとめをするのは二度手間になり、非効率なので避けてくださいね。

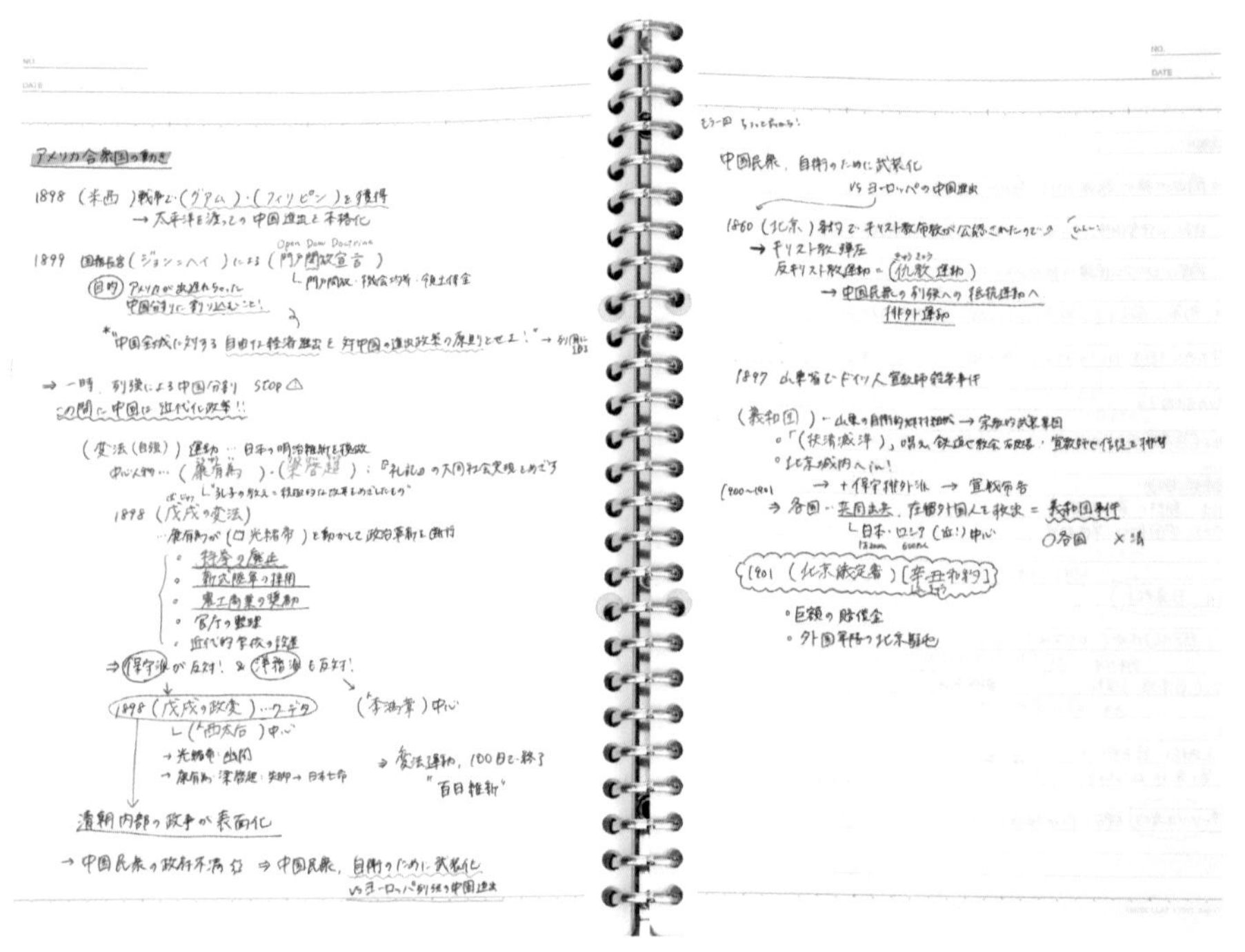

高３のときの世界史授業ノート。自分で穴埋め式にして暗記ノート化しています。

# 社会の復習のやり方

社会の復習方法は理科と似ています。そこまでガツガツとおこなう必要はありませんが、授業当日にもう一度軽くその内容に触れておくことで、記憶の定着度も高まります。

## 授業ノートを見返す

たくさんメモを書いた授業ノートを、パラパラとでもいいので読み返しておきましょう。重要ポイントだけを見るのではなく、**少し授業の内容から離れた雑談や豆知識のメモなどにも目を通しておく**ことで、授業の光景が頭に残りやすくなります。

## 参考書で授業範囲をおさらいする

余裕があれば、授業で扱った内容を別の参考書でもう一度読んでおくのがおすすめです。

教科書でもいいのですが、授業中に参照していない教材のほうが、授業時とは別の角度から「なるほど、そういうことだったのか」と理解できる可能性があります。

## ノートやプリントを整理しておく

テスト勉強や受験勉強の効率を上げるために、授業ノートやプリントは単元のキリのいいところで整理しておきましょう。プリントやメモ用紙には穴をあけてきちんと順序通りファイリングし、必要に応じてインデックスシールなどを活用して使いやすくしておきます。

理科と同様、まとめノートを作るのはまだストップ！　授業の都度まとめるのはキリがないのでやめましょう。

# 社会のテスト勉強法

はじめにお伝えしたように、社会のテスト対策では「用語自体」と「用語の意味・用語同士のつながり」を覚えることがゴールです。

## 授業ノートと教科書で流れをおさらいする

まずはテスト範囲全体のあらすじをつかむような感覚で、流れを振り返っていきます。中学生なら、教科書をくり返し読みましょう。高校生の場合は、教科書ではなく読みもの系の参考書で復習するのもおすすめです。

## 授業メモを見返す

授業中にたくさんとっておいたメモが本領を発揮するときです！　重要ポイントから先

生のおやじギャグまで、一度すべてに目を通します。そして、そのときの授業のことをなるべく思い浮かべてください。

## ワークなどをＡノートに解く

一問一答やワーク・問題集などを使ってアウトプットをします。ワークに直接解いてもかまいませんが、Ａノートを使えばくり返し解くことができます。

このとき、漢字も正しく書くように徹底してください。自分で勉強しているとついつい漢字ミスなどは甘く採点してしまいがちですが、実際のテストや入試ではそうしたミスも減点される可能性があります。自分には厳しい姿勢で勉強をしましょう。

## Ｂノートを作る

ワークなどで何度も間違えてしまった問題はＢノートに書きます。「歴史」「地理」など分野ごとにページを分け、一冊のノート（ファイル）にまとめておくのがおすすめです。

問題ページについて、社会の問題は写真や地図・表などがついているものもありますが、自分で描くと時間がかかってしまうようなものはコピーを貼り付けましょう。

解答・解説ページには、問題集などの解説だけでなく自分なりの覚え方や語呂などをたくさんちりばめましょう。

## Cノートを作る・読み返す

ややこしく感じるものや、一度図にしないと理解しづらいなと感じるものについてはCノートにまとめます。

授業ノートと同様、**ビジュアル的に覚えられるように意識する**ことが大切です。たとえば、

**◆歴史……戦争の構図を図解する、歴代の内閣を表にまとめる**
**◆地理……地図に地形や特徴などを書き込む**
**◆公民……制度や憲法の権利などを図解する**

といったことをすると暗記に役立つでしょう。あくまで自分の苦手な部分だけピックアップしてまとめておき、テスト前や入試前はこれらを何度も読み返します。

## Bノート

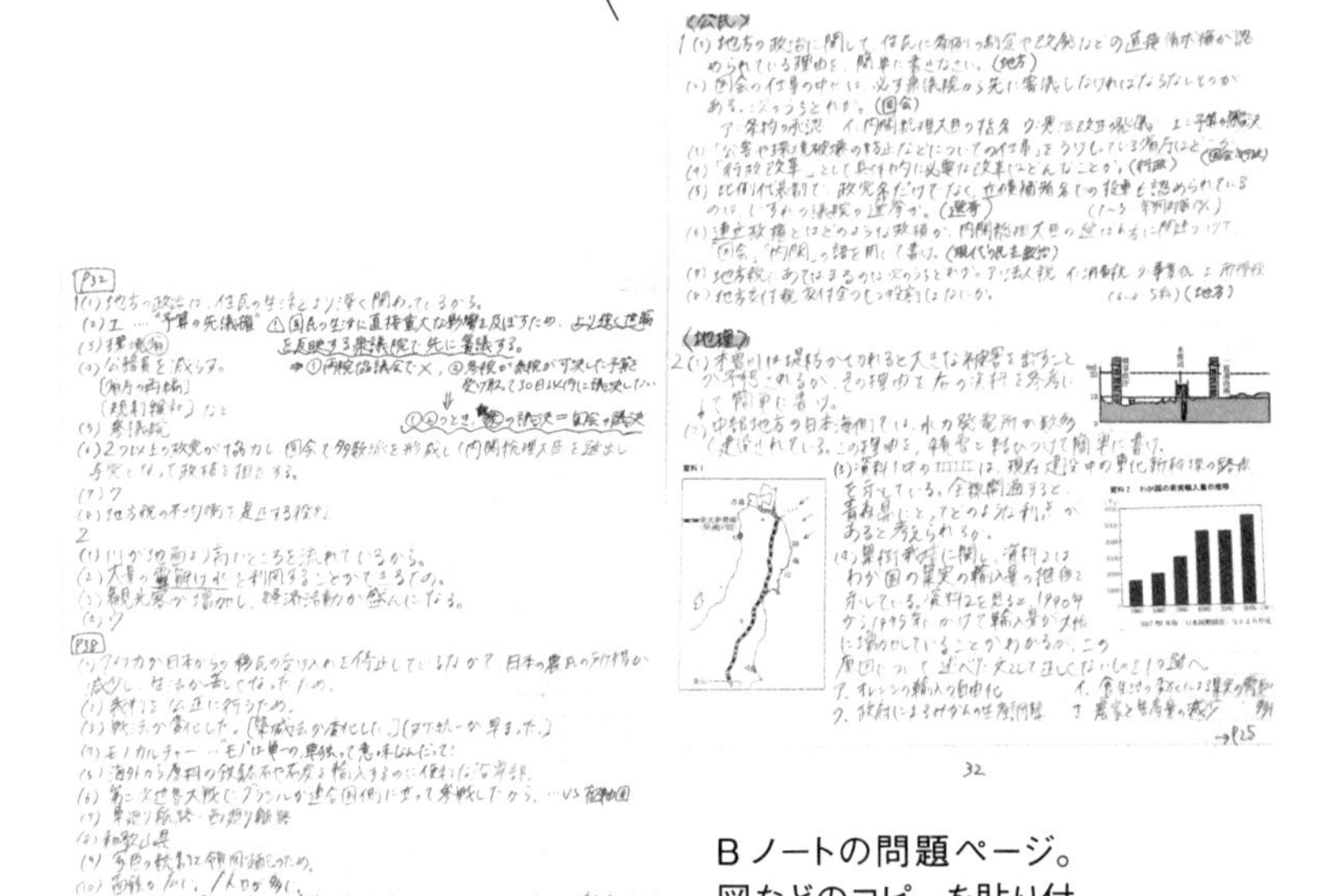

Bノートの問題ページ。図などのコピーを貼り付けています。

解説ページでは、ポイントを簡単に書いておきます。

アメリカ合衆国

アメリカの農業分布についてですが、ここで1問！

Q グラフは地図中の②の地域で栽培がさかんなある農産物の国別生産量の割合を示している。ある農産物とは何か。

<グラフ>

| 中国 | アメリカ インド | その他 |
|---|---|---|
| 27.2% | 18.1 14.3 | 26.8 |

←パキスタン 8.8

アメリカの農業分布

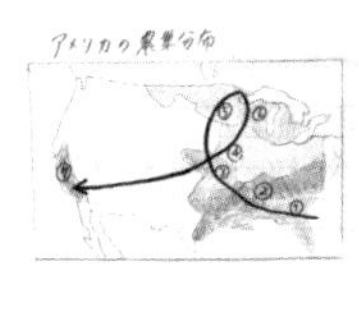

Answer?

~解説~

パキスタンのように"スタン"をついたらコレ。"スタン"には何もない土地というような意味があり、コレしかつくれないとのこと。また、南北戦争のころ、南部では黒人奴隷をつかってコレをつくっていた。そのなごり。だから南部！
① [illegible]帯性作物地帯
② [illegible]花地帯
③ [illegible]麦地帯
④ とうもろこし地帯
⑤ [illegible]農地帯
⑥ [illegible]畜地帯
⑦ [illegible]海式農業地帯
[illegible]アメフトはらくちん！っておぼえる。たぶんらくちんじゃないけどね。

[illegible]アメリカには[illegible]のように[illegible]の2つの[illegible]がある。
アメリカの地図に2つ[illegible]

-13-

ちょっとした問題や覚え方なども
書いておきます。

基本的人権

"基本的人権"……侵すことのできない永久の権利
（不断の努力によって保持する必要がある）

| 自由権 | 社会権 | 基本的人権を守るための権利 | + 新しい人権 |
|---|---|---|---|
| 平等権（すべての人権の基盤） | | | |

Ⅰ 平等権……差別されずに同じ扱いを受ける権利
すべて国民は個人として尊重される（第13条）
すべて国民は法の下に平等である（第14条）

Ⅱ 自由権……国家権力の干渉を受けずに行動できる権利

① 身体の自由
奴隷的拘束・苦役からの自由（第18条）
拷問の禁止（第36条）
不当な逮捕からの自由（第33条）　住居の不可侵（第35条）
[illegible]

② 精神の自由
思想及び良心の自由（第19条）
信教の自由（第20条）
集会・結社・表現の自由（第21条）
学問の自由（第23条）

③ 経済活動の自由
公共の福祉に反しない限り、
居住・移転及び職業選択の自由（第22条）
財産権の不可侵（第29条）

つづくよ！→

憲法についてまとめた
Cノート。

# みおりんの受験生時代の勉強机を大公開！

勉強机は、勉強の集中度合いを左右する大切な要素。わたしの東大入試直前の机の様子を少しだけお見せしちゃいます！（ちなみに受験生になるまでは、ほとんどリビングやベッドで勉強していました……。）

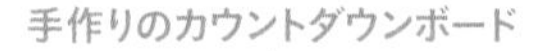


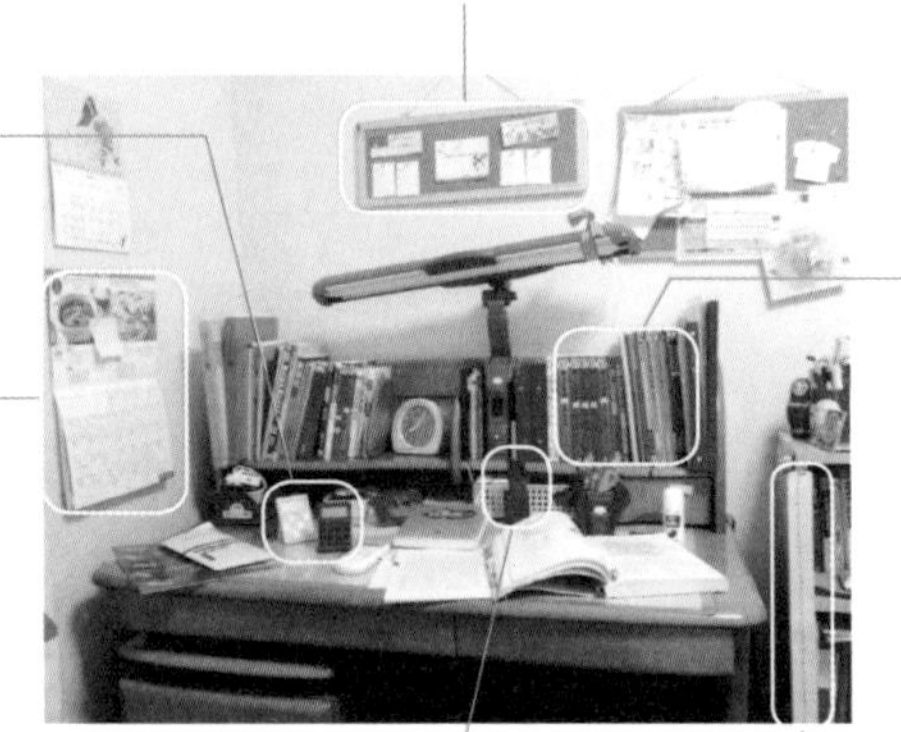

勉強時間を計るキッチンタイマー

入試の過去問や予想問題

勉強計画を書いたカレンダー

ウォークマンで音楽をかけながら勉強♪

モチベーションを上げるための「スヌーピーロード」。
2時間勉強すると1匹のスヌーピーに出会える謎の勉強法（笑）

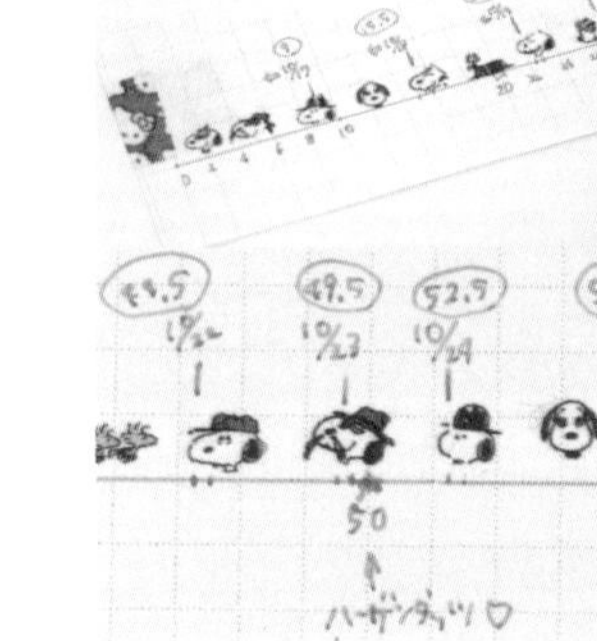


ごほうびに「ハーゲンダッツ♡」（笑）

勉強机の環境作りの基本は、「机の上には勉強に関係ないものは置かない」こと。ゲームや漫画など、誘惑になるものはなるべく目につかないところに置いておきましょう。
また、励みになる写真やメッセージカードなどを飾ったり、お気に入りの文房具を置いたりするのもおすすめです。ついつい机の前に座りたくなるような工夫をしてみてくださいね。

Part.4

みおりんが
お答え！

# 勉強法＆ノート術お悩み相談

最後に、ブログ『東大みおりんのわーいわーい喫茶』や YouTube『みおりんカフェ』の読者・視聴者の方から届いたご相談に、みおりんが全力でお答え！

- 勉強法のお悩み編
- ノートのお悩み編

の順にご紹介します。

お悩みを送ってくれた
みなさん、
ありがとうございました！

# 〈勉強法のお悩み編〉

**お悩み**

自分に合わない勉強をしているせいか、勉強内容が頭に入りません。どうすれば自分に合った勉強法を見つけられますか？

（なっつんさん・中2）

**Advice**

自分に合った勉強法を見つけるには、次のようなステップを踏むのがおすすめです。

**①勉強法について調べる**

本や動画、Webサイトなどで検索

**②実際にやってみる**

一日だけだとわからないので、まずは直近のテストや模試の対策で実践

**③振り返る**

「楽しかったか」「実力はついたか」の2点で振り返る

ここまでやってみて、「楽しかった」「実力がついた」と感じた場合はそれをつづけ、感じなかった場合はまた①に戻って新しい勉強法を探します。

自分に合う方法は必ず見つかるはずなので、めげずに常に探求心を持って探してみてください！

**お悩み**

テスト勉強のとき、いつも書いて勉強しています。そうしないとなかなか覚えることができません。効率が悪い勉強なのは自分でもわかっているのですが、どうすればいいのかわかりません。

（かんなさん・中3）

**Advice**

確かに手で書く勉強法は時間がかかるので効率が悪いといわれることもありますが、人によっては書いて覚えるのがいちばん向いている場合もあります。

すべてを書くのではなく、「こういうものは書いて覚える」「ここはなるべく読んで覚える」と線引きしてみるのもいいかも。

お悩み

苦手科目になると、思うように勉強が進みません。どうしたらいいでしょうか？

（わたあめさん・小学生）

Advice

苦手科目の勉強法でおすすめなのは次の2つ！

**①サンドイッチ勉強法**

気の進まない苦手科目を、捗りやすい好きな科目で挟みます。「好きな科目↓苦手科目↓好きな科目↓……」とやってみましょう。

**②ごほうび勉強法**

「ここまでやったら○○をしてOK！」というように、ごほうびを作ってクエスト感覚で勉強しましょう。

また、苦手科目は1回あたりの勉強時間を短めに区切ると少し取り組みやすくなりますよ。

お悩み

みおりんさんの「色に意味をもたせる」という方法でノート作りをしています。ですが自分の場合6色ほどになってしまい、全然見やすいノートとはいえなくなってしまいました。どうすれば色を限定したり、見やすいノートになりますか？

（RE：onさん・中3）

Advice

いま使っている6色のうち、同じ色でまとめてもかまわないものがないか探してみてください。登場頻度の低い色や、あまり色分けする必要がないものがあれば、**色の断捨離**をしてしまっていいと思います。

お悩み

理科の先生が板書するときにたくさんの色を使って書きます。先生の板書はきれいなんですが、ノートにそのまま書くと色がごちゃごちゃしてうまくいきません。どうしたらいいでしょうか？

（ゆーゆさん・中1）

Advice

先生の板書のうち、①「**重要ポイントをはっきりさせるために色を使っているもの**」と、②「**見た目をわかりやすく（きれいに）するために色を使っているもの**」があるのではないかと思います。

①は板書を真似してノートに書き、②は自分で手持ちの色に置き換えたり、シャーペンや鉛筆で書いてみてはどうでしょうか。

---

お悩み

黒板に書いてある文を写すのが遅く、最後のほうを書き終わる前に消されてしまうときがあります。板書の要点をまとめるコツはありますか？

（花園、夏希さん・中3）

Advice

板書のすべてを写すのではなく、ポイントとなる部分から優先して書くのがおすすめです。「重要」とされていたり、目立つ色で書かれているところから写してみましょう。Part2でご紹介した「略記号」も使ってみてくださいね。

また、**言葉の一部だけを書いておいてあとから埋める**という方法もあります。たとえば「試験管が割れるのを防ぐ」という文章があったら、その場では「試　割　防」のように書いておき、あとで残りの部分を書くというようなやり方です。

可能であれば先生に、板書の写真を撮る許可をもらったり、消すまでの時間を少し延ばしてもらえないかお願いしたりするのもいいと思います。

お悩み

十分に勉強時間をとっていて、ワークを何度もくり返し解き、知識を十分にもっているはずなのに定期テストでいい点数がとれません。勉強はやはり量ではなく質なのでしょうか？

（ぱつこさん・高1）

Advice

勉強しているのに点数がとれないときは、「なんの問題でどのように（なぜ）間違えているのか」の分析をしてみてください。

漢字ミスが多いのであれば普段から漢字で書いて答える練習をする必要がありますし、用語を混同してしまうことが多いのであれば、違いをまとめたノートを作ってもいいでしょう。このように、原因や傾向がわかれば対策を練ることができますよ。

お悩み

問題集をできるだけたくさん解いてテストに備えているのですが、何回も同じ問題を解いていると答えを覚えてしまい、本当に身についているか不安になります。成績も平均か平均を下回っているのですが、どうすれば伸びますか？

（るんるんさん・中1）

Advice

答えを覚えてしまうときには、もう1冊別の問題集を買って使用するのもおすすめです。同じ単元や範囲に対応した問題を解けば、本当に理解しているかどうかを試すことができますよ。

**お悩み**

技術や家庭科など実技教科（副教科）の勉強の仕方がわかりません。みおりんさんはどう勉強していましたか？　実技教科でも暗記ノートを作っていましたか？

（himeさん・中1）

**Advice**

実技教科は普段から授業内容をしっかり聴き、先生の言葉をたくさんメモするなど「印象づけ」をしておくのが効果的です。

テスト前は、**教科書と授業プリントを読み込む**ようにしましょう。わたしの場合は、数時間ほどがっつりその教科を勉強する時間を確保し、母と一緒に「これってこういうことかな」などと会話しながら勉強することで印象づけをしていました。

---

**お悩み**

入試や検定などの試験本番で、しっかり集中して普段通りの力を出す方法を教えてください。

（かほりんニコニコ喫茶さん・中2）

**Advice**

試験に落ち着いて臨むために、わたしはこんなことをしていました。

①**ルーティンを決めておく**

「試験前に消しゴムをきれいにしておく」など、試験で必ずやることを決めて毎回実践する

②**みんなと違う順序で解く**

大問2や3などから解くことで、周りの人が自分より早くページをめくっても焦らなくなる

③**休み時間にちょっとした糖分補給をする**

チョコなど好きなものを食べて頭を働かせる

よかったらお試しください！

お悩み

英単語がなかなか覚えられないのですが、どうしたらいいでしょうか？

（琥珀さん・中3）

Advice

英単語の覚え方の基本は、「耳」「口」「手」を使うこと。まず英単語帳の読み上げCDなどで正しい発音を聴き、次に実際に口に出して発音します。発音できるようになったら、声に出しながら手で何度も書いてスペルを覚えていきます。

わたしはこのやり方に、**「語源で覚える暗記法」**や**「例文で覚える暗記法」**を組み合わせて実践してきました。どちらも単語にストーリーがつくことで、印象が深まって覚えやすくなります。

また、英単語を勉強するときには1冊の英単語帳に絞って、何周もして仕上げていきましょう。

お悩み

勉強のときに聴く音楽について悩んでいます。歌詞が頭に入ってきてしまい集中できないことがあるのですが、みおりんさんはどのような曲を聴いて勉強していましたか？

（えすさん・中2）

Advice

わたしは結構どんな曲を聴きながらでも勉強できてしまうタイプなのですが（集中力がないから（笑））、気になってしまう場合には、初めて聴く曲（口ずさめないので頭に入ってきづらい）や歌詞のない曲、クラシックなどを選ぶといいと思います。

音楽以外にも、「雨の音」や「焚き火の音」、「カフェの音」などの環境音を流すのもおすすめです。

お悩み

受験生で週3日、塾に通っています。でも、学校の課題や提出物がおろそかになってしまっています。塾と学校の課題や提出物の両立の仕方を教えてください。

（あおいさん・中3）

Advice

わたしは、**学校をいちばん優先すべき**だと考えています。学校の勉強が入試や将来のベースになるし、内申点も入試に直結するからです。一方塾は、「学校では足りなくなってしまうところがある場合」に利用する、**サプリメントのような存在**です。

まずは学校の課題や提出物を確実にこなし、余力がある際に塾の課題や勉強に取り組むという順序を守ることが大切だと思います。

---

お悩み

志望校決めに迷っています。今の自分の実力に見合う大学を選ぶか、行きたいと思っているレベルの高い大学を選ぶか……ちなみに現役で国公立に受かりたいと思っています。

（ゆうゆさん・高1）

入試直前なら別ですが、試験まで数カ月～数年ある場合は絶対に「行きたいと思っているレベルの高い学校」を選ぶべきだと思います。

**高望みや背伸びをした経験は、結果に関わらず将来必ず役に立ちます。**逆にいまの実力で行けるような学校なら、大人になってから「行きたいかも」と思ったとき、いくらでも入ることができます。

「あのときもっと勉強して高いレベルのところに行っていればよかった」と言っている大人は

たくさんいます。大きな後悔を抱えて人生を歩んでいくより、チャレンジしてよかった！　と言える人生を選んでほしいなと個人的には思います。

**お悩み**

わたしは集中力が壊滅的につづきません。そして、みおりんさんもそうだとお聞きしたことがありますが、集中力がなくても勉強ができるコツがあれば教えてください！

（ともこさん・高1）

Advice

集中力がない人の勉強のコツはたくさんありますが、特におすすめなのは次のような勉強法です。

①集中できる範囲で、**短時間に区切って**勉強する

②あえて**キリの悪いところ**で休憩する

③勉強道具だけを持ってカフェに行くなど、**勉強せざるを得ない環境**を作る

④勉強机だけにとらわれず、**自分が勉強しやすいと感じる場所**で勉強する

⑤YouTubeなどで**「Study with me」**の動画を流したり、スマホの**タイムラプス機能**で自分の勉強風景を撮影したりして、勉強中スマホに触らないようにする

集中力がないのは必ずしも悪いことではないので、「上手に分散」させながら勉強しましょう。

お悩み

わたしは体調面が原因で勉強が捗らないことがよくあります。無理は禁物だとわかってはいますが、受験生ということもあり勉強しないわけにはいきません……。比較的体調が悪くてもできるようなおすすめの勉強法があればぜひ教えてください！

（万里さん・中3）

Advice

本当に体調がすぐれないときは思い切って休んで！　多少なら勉強できるという場合は、**横になっていてもできる勉強**がおすすめです。

たとえばCノートのチェックや、参考書の黙読などはベッドでもできますよね。こうしたものを普段から用意しておくといいと思います。

---

お悩み

模試で自信満々だった箇所が計算ミスによって全然点がとれていなかったり、マークシートをずらして塗ってしまったこともあり、ショックでだいぶ落ち込んでしまいました。気持ちの立て直し方があれば教えてください。

（おまめさん・浪人生）

Advice

**模試は模試でしかないので、その結果に一喜一憂しないこと！**　むしろ、「こんなミスをすることもあるんだ」「自分はこういうことが苦手なんだ」ということが発見できたなんて素晴らしいことだと思います。本番で初めてそれが発見されるほど、悲しいことはありません……。

模試でわかった自分のクセや苦手箇所は、紙などに書いて覚えておきましょう。次回の模試や本番の試験ではそれを読み返し、「こういうミスには気をつけるぞ！」と心に決めてから臨むといいと思います。

**お悩み**

いまのうちから大学受験勉強をがんばろうと思っているのですが、どのような勉強をしたらいいでしょうか？　学校の教材を使うか、受験用の問題集を買って勉強するかについても悩んでいます。

（ソヌさん・高1）

**Advice**

いちばん重要なのは、いまから地道に基礎固めをしていくことです。特に英語と数学は受験生になってから始めても手遅れになってしまうので、1～2年生のうちから**英単語や英文法、数学の基礎的な問題**を中心に、しっかり覚えるようにしてくださいね。

教材は、まずは学校の授業にしっかりついていけるよう、学校で配布されたものをきちんとこなすようにします。市販の問題集も大切ですが、むやみやたらに買うのではなく、「自分は漢文が苦手だから問題集を買い足そう」とか、「志望校の英語はリスニングが難しいから参考書を買ってみよう」というふうに、**足りないところを補うイメージ**で取り入れてみてください。

また、**興味のある大学や学部の問題形式をなるべく早く知っておく**と、勉強の戦略が立てやすくなって、周りに一歩差をつけることができますよ。

# 〈ノートのお悩み編〉

**お悩み**

いつもノートにまとめるだけで終わってしまって、テストではいい点をとることができません。また、用途でペンの色を使い分けていないため、重要部分がわからなくなってしまいます。

（あきぽんさん・中1）

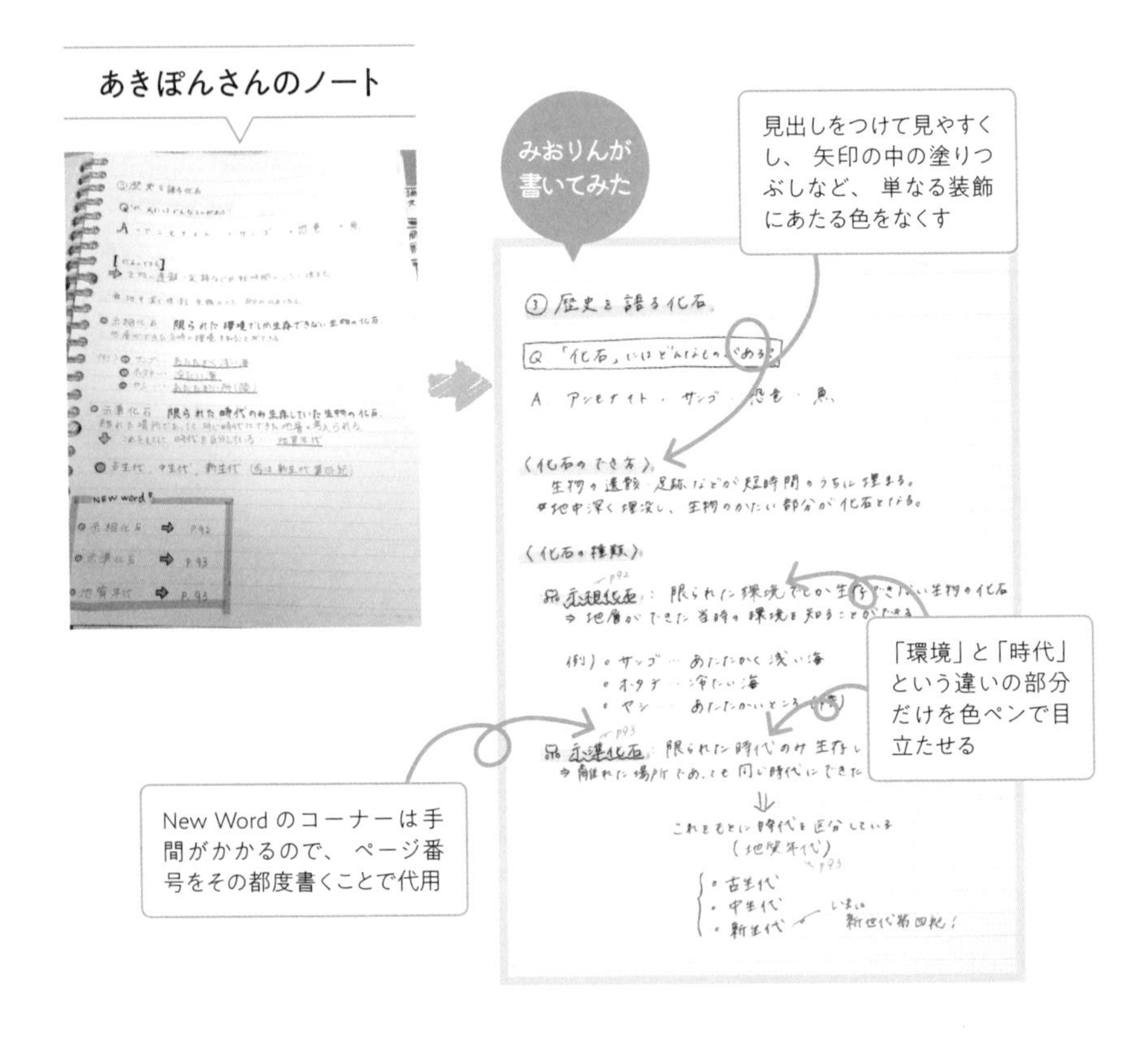

あきぽんさんのノート
みおりんが書いてみた
見出しをつけて見やすくし、矢印の中の塗りつぶしなど、単なる装飾にあたる色をなくす
「環境」と「時代」という違いの部分だけを色ペンで目立たせる
New Word のコーナーは手間がかかるので、ページ番号をその都度書くことで代用

重要な用語はきちんとオレンジ色のペンで強調できているので、そのほかの**「重要ではないのに色がついているところ」を減らしていく**だけでわかりやすくなりますよ～！

## お悩み

どうしても同じ色ばかりになってしまうので、見返しやすくて重要な場所がひと目でわかるような書き方にしたいです！

（にゃあかさん・高１）

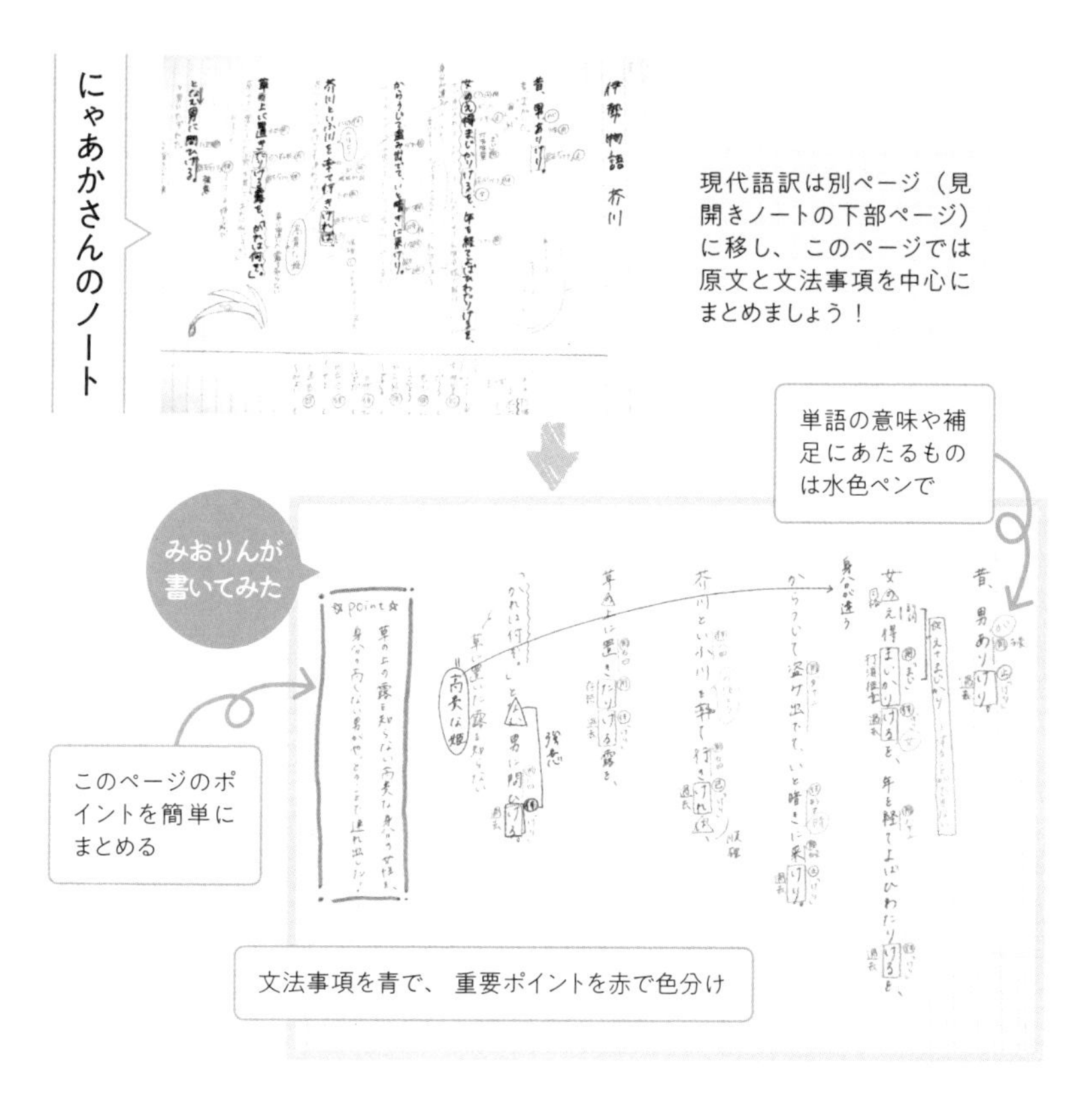

にゃあかさんのノート
現代語訳は別ページ（見開きノートの下部ページ）に移し、このページでは原文と文法事項を中心にまとめましょう！
単語の意味や補足にあたるものは水色ペンで
みおりんが書いてみた
このページのポイントを簡単にまとめる
文法事項を青で、重要ポイントを赤で色分け

原文・文法事項・読解のポイント・現代語訳をすべて同じページに入れてしまっているので、Part3（101 ページ）でご紹介したように**ノートを見開き**で使ったほうがすっきりしておすすめです！

お悩み

地図などを描くときに時間がかかってしまい、先生の話のメモをとれないことがあります。「完璧に写したい」と思ってしまい、ほとんど黒板を写しただけのこともあって不安です。

（アヤヤさん・中1）

アヤヤさんのノート
みおりんが書いてみた
吹き出しにするだけで目立つので、マーカーは使わなくてOK
ノートの見出しと白地図上の印に使う色を同じにし、統一感のある印象に
あらかじめ印刷しておいた白地図を貼り付けて書き込むことで、自分で図を描く時間を短縮！

Advice

わたしは地理や歴史の授業では、**あらかじめストックしておいた白地図のコピー**を使うようにしていました。最近では白地図の付箋なども売っているので、活用してみるといいと思います。

**お悩み**

ノートがごちゃごちゃしてしまうのが悩みです。字が大きいのと、色を使いすぎているのが原因だと思います。字を速く小さく書いたり、少ない色で意味分けをする方法を教えてください。

（ぴーなっつさん・高2）

ぴーなっつさんのノート

単語を品詞ごとに色分けしていると時間もかかり、ノートもごちゃごちゃとしてしまいます。助詞は△、助動詞は□、その他は傍線というように**形で区別をする**と、すっきり見せることができますよ♪

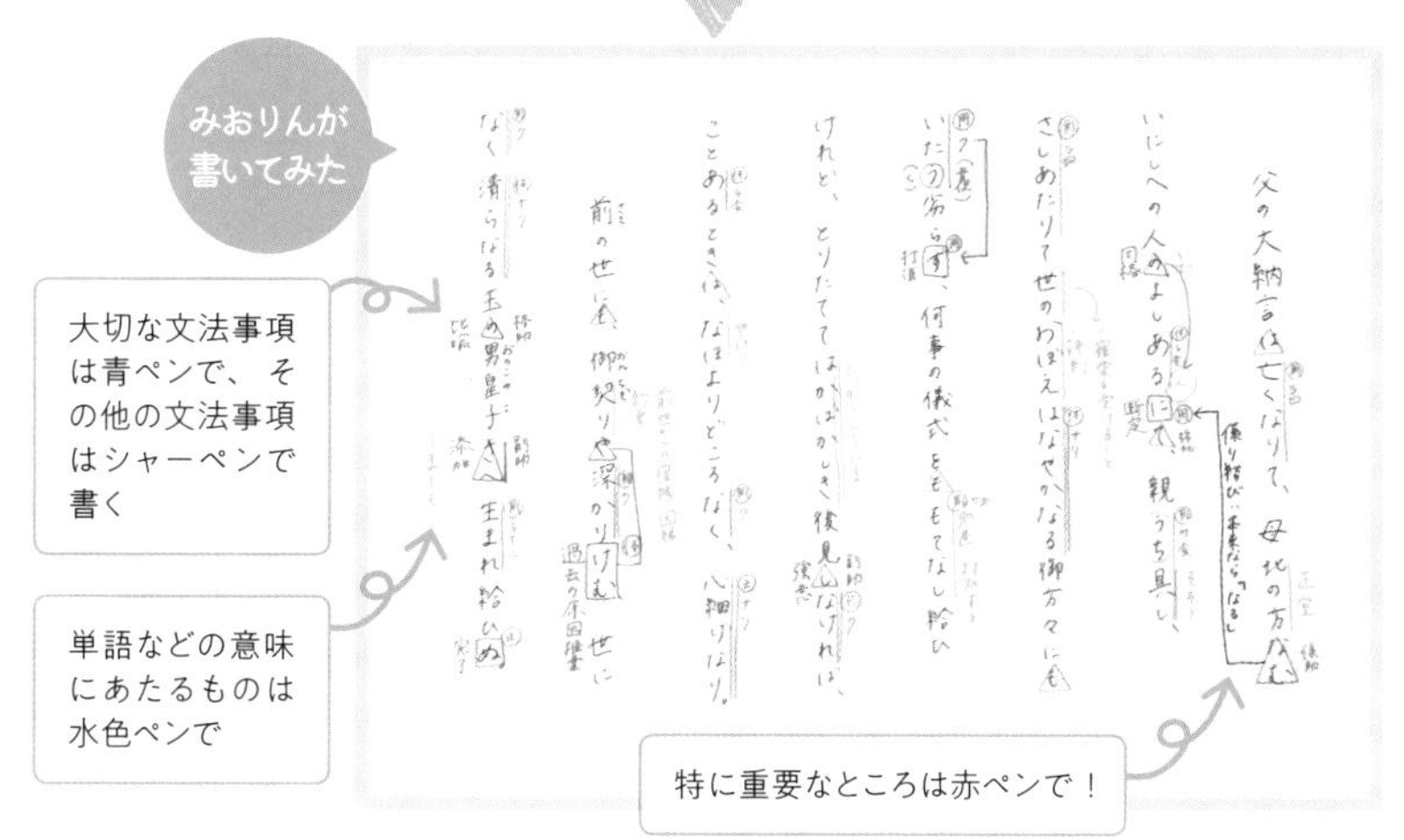
みおりんが書いてみた
大切な文法事項は青ペンで、その他の文法事項はシャーペンで書く
単語などの意味にあたるものは水色ペンで
特に重要なところは赤ペンで！

文字サイズについては、そんなに問題ないと思います。字の書き方やスピードは練習するしかありませんが、大きくなってしまうなら余白もそのぶんとって使えば大丈夫です。

## お悩み

罫線に合わせて文字をきれいに書くことやレイアウト、色使いが苦手です。どうしたらキツキツにならないようにして色合いよくまとめられるでしょうか？

（ごまたんさん・中3）

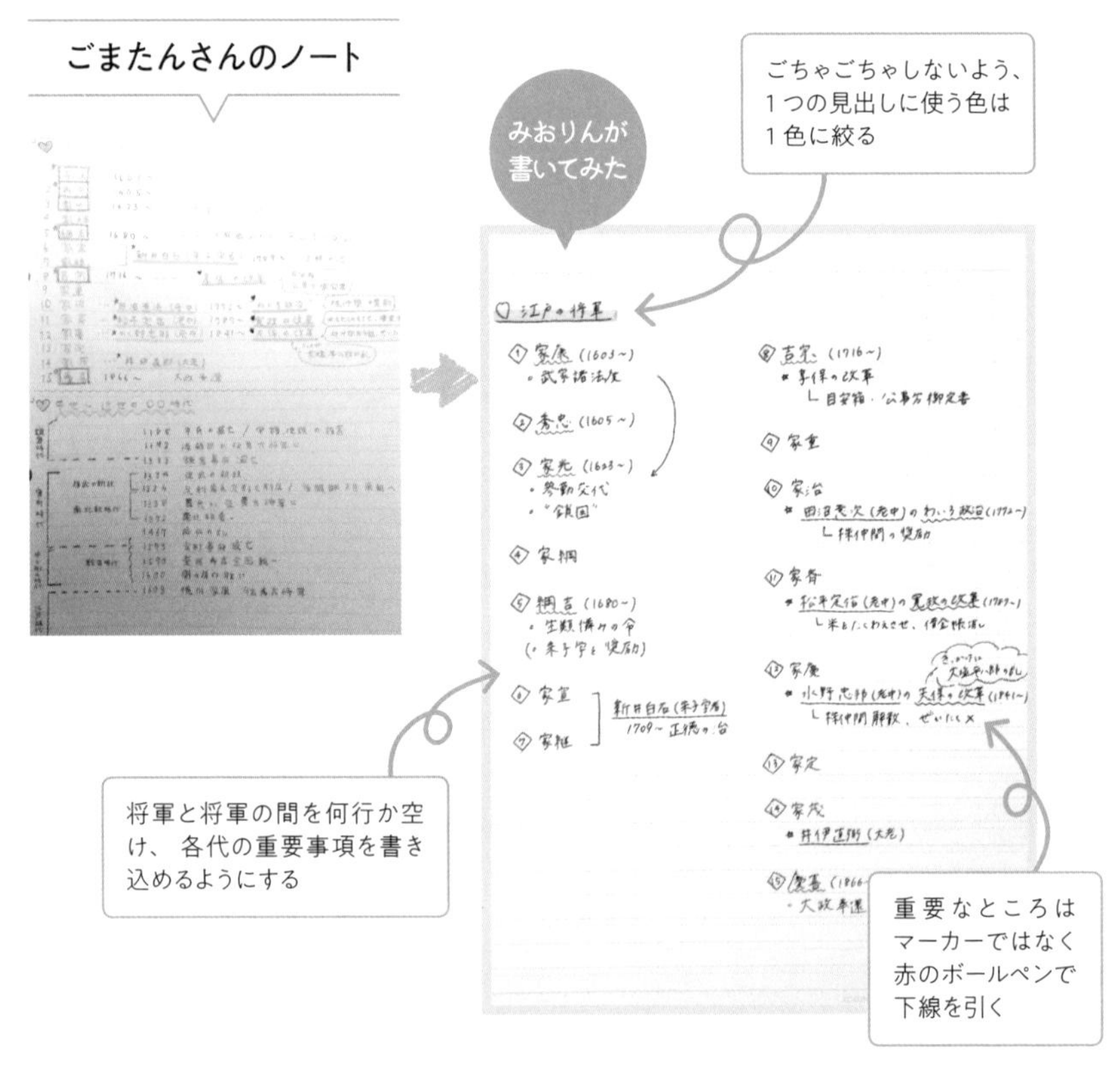

ごまたんさんのノート
みおりんが書いてみた
ごちゃごちゃしないよう、1つの見出しに使う色は1色に絞る
将軍と将軍の間を何行か空け、各代の重要事項を書き込めるようにする
重要なところはマーカーではなく赤のボールペンで下線を引く

Advice

見出しに共通のハートマークをつけるなど、統一感を出す工夫はできていると思います！**「装飾のための色」は捨て、「強調のための色」だけを残す**ということを意識してみてください♪

## お悩み

どうしてもマーカーやペンを使いすぎて見やすくないノートになってしまいます。どうすればいいでしょうか？

（めりりんさん・中1）

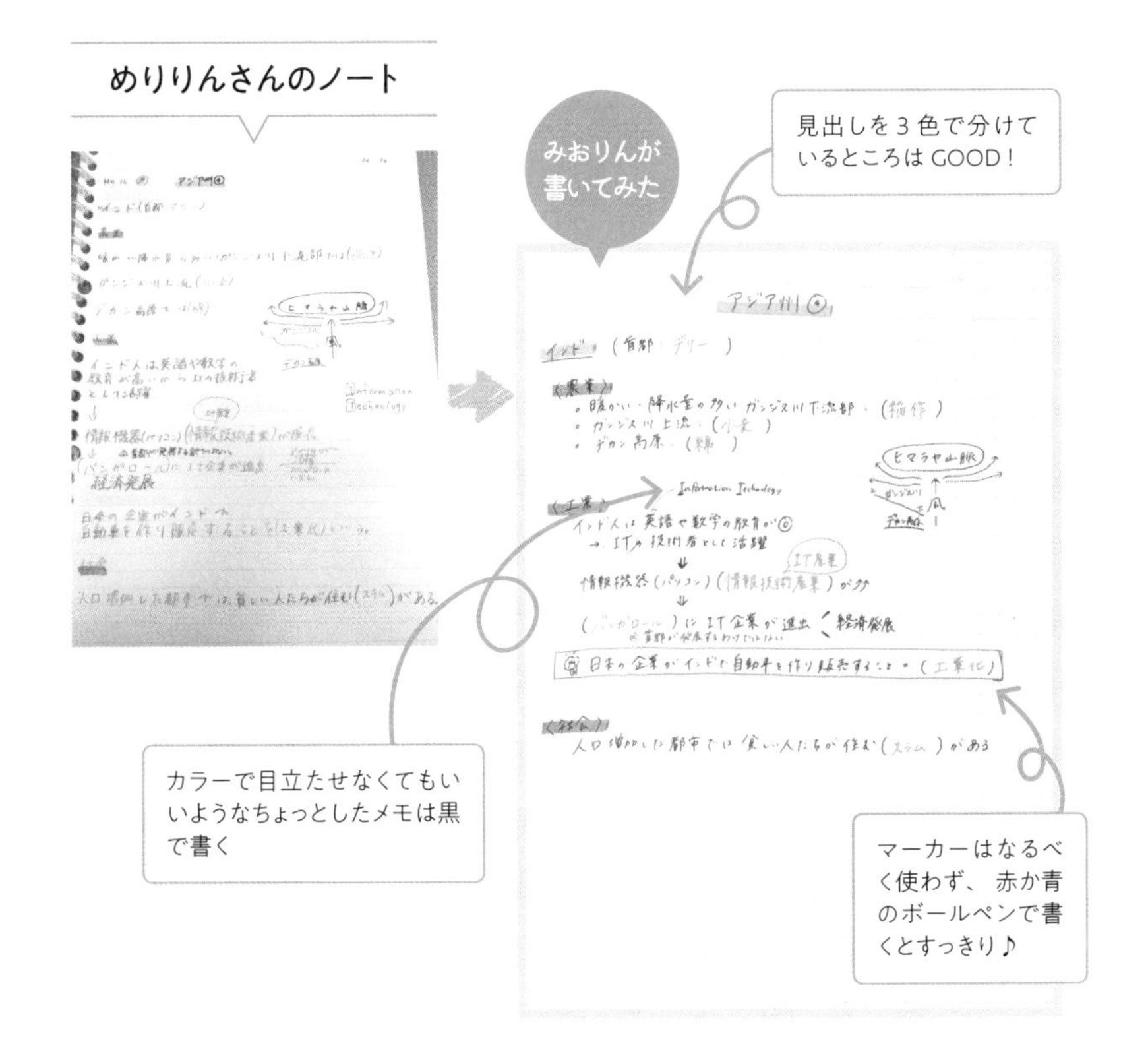

めりりんさんのノート
みおりんが書いてみた
見出しを３色で分けているところはGOOD！
アジア州④
インド（首都：デリー）
〈農業〉
〈工業〉
〈社会〉
ヒマラヤ山脈
Information Technology
日本の企業がインドで自動車を作り販売すること・（工業化）
カラーで目立たせなくてもいいようなちょっとしたメモは黒で書く
マーカーはなるべく使わず、赤か青のボールペンで書くとすっきり♪

見出しの色分けと、覚えたい重要語句をオレンジにしているところがとてもいいと思います。**マーカーを使う箇所を見出しだけにする**と、落ち着いたノートになりますよ。

お悩み

自分なりの言葉で短くまとめたいのに、結局教科書を丸写ししたノートになってしまったり、歴史の出来事の流れをうまく表現できないのが悩みです。

（ぴーまんさん・中3）

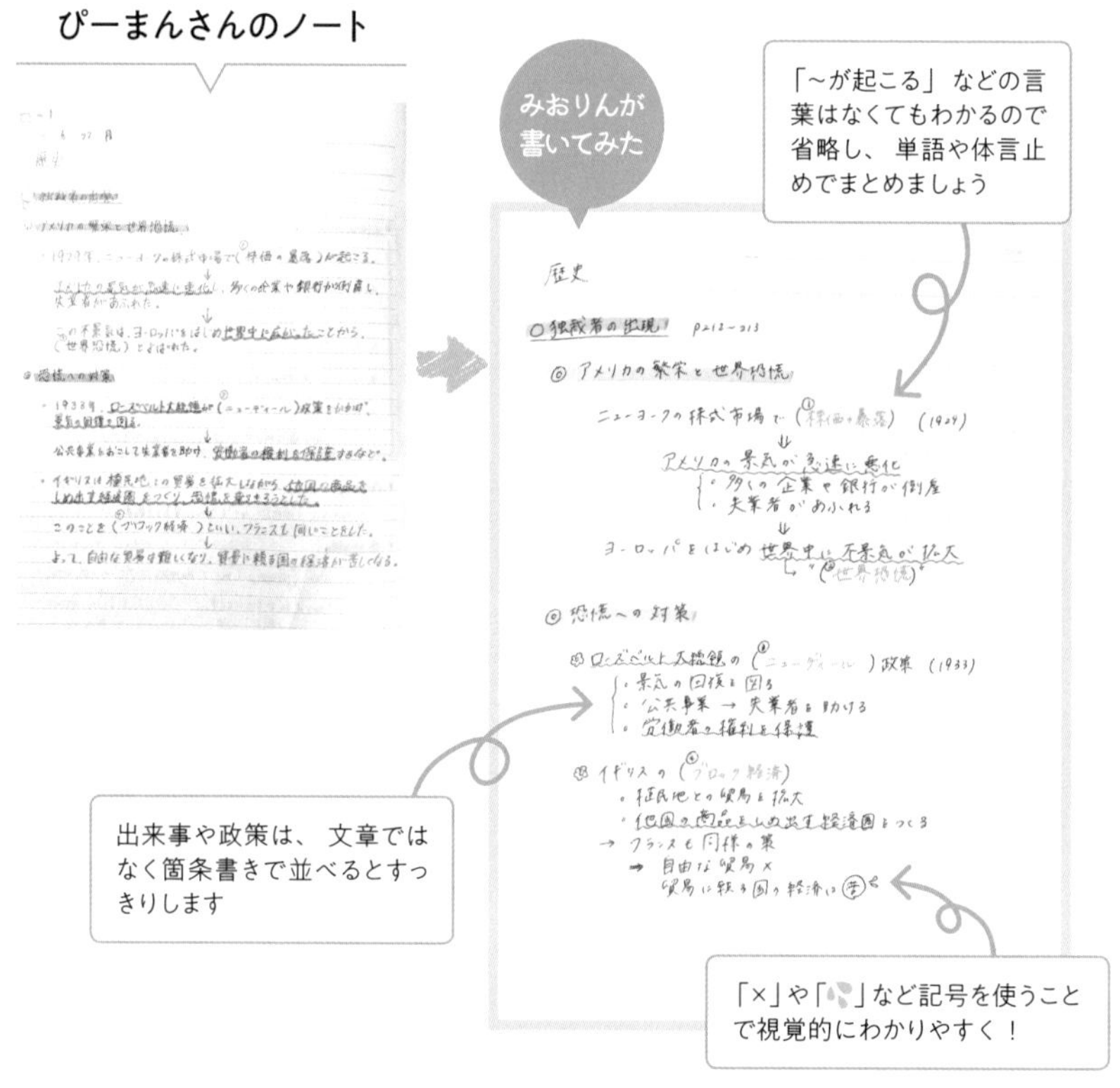

ぴーまんさんのノート
みおりんが書いてみた
「～が起こる」などの言葉はなくてもわかるので省略し、単語や体言止めでまとめましょう
出来事や政策は、文章ではなく箇条書きで並べるとすっきりします
「×」や「」など記号を使うことで視覚的にわかりやすく！

色に統一感と落ち着きがあり、シンプルで見やすいノートだと思います。流れをまとめるときには**「体言止め」と「箇条書き」**を意識してみてください！

## お悩み

文法や古文の意味などのまとめ方がわかりません。文字を大きく書き、なるべく３色で色分けをするという工夫をしていますが、配色の仕方も難しくて悩んでいます。

（おりんさん・中２）

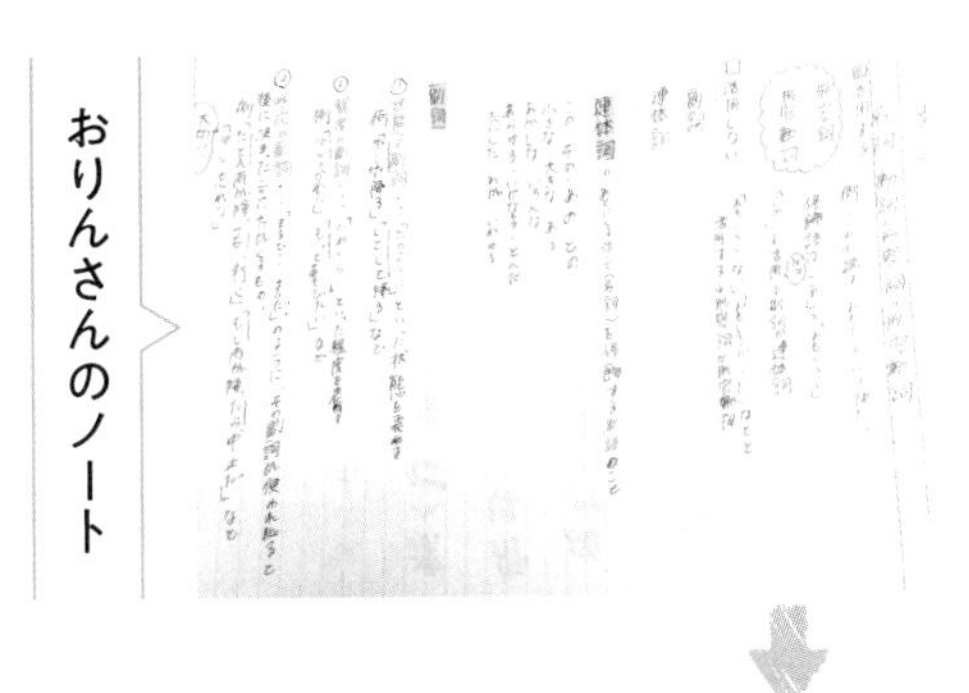


このノートの内容は、じつは次のような構成になっています。

・活用する品詞
　├形容詞
　└形容動詞
・活用しない品詞
　├連体詞
　└副詞
　　①状態の副詞
　　②程度の副詞
　　③呼応の副詞

これを整理して書きましょう！

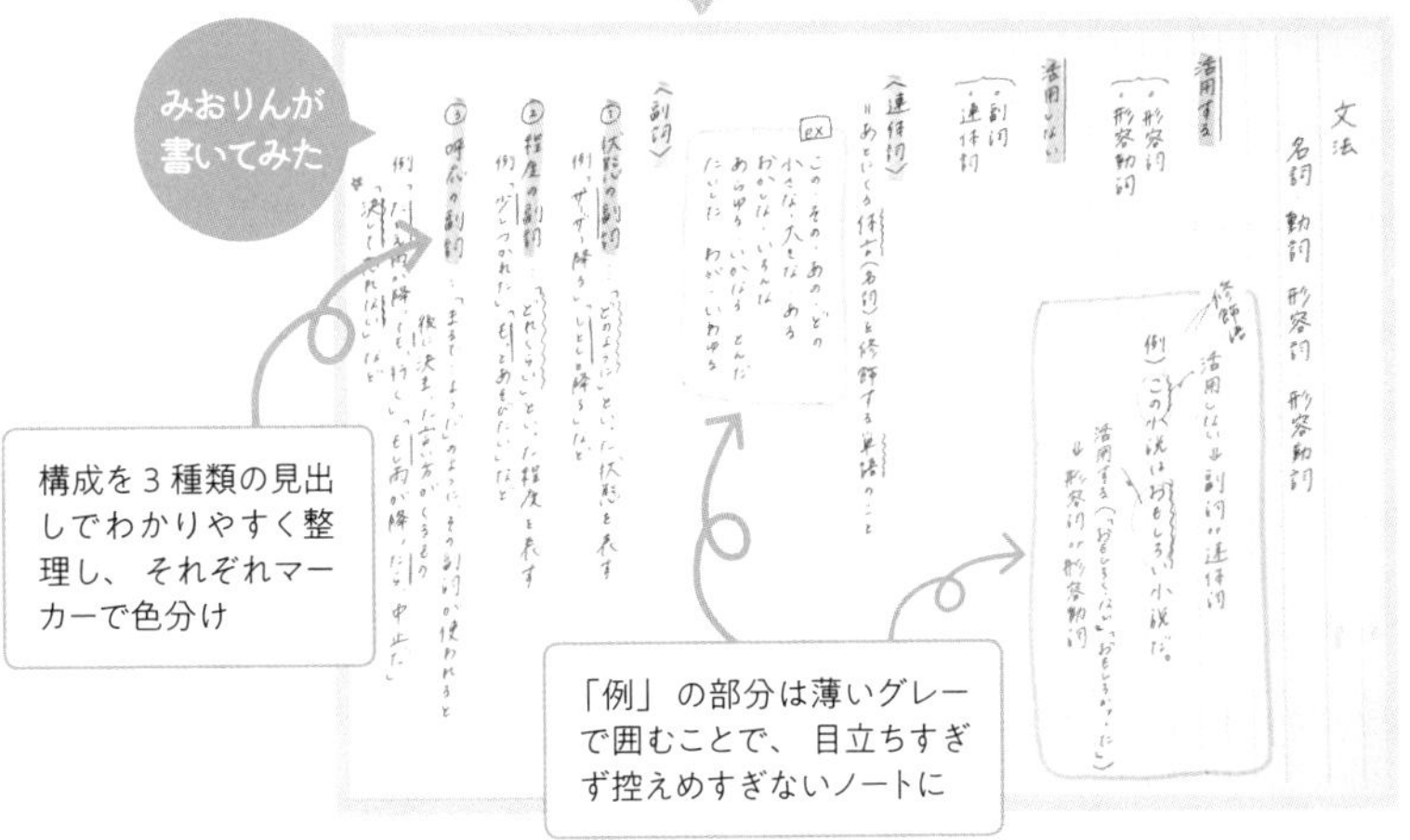

みおりんが書いてみた
構成を３種類の見出しでわかりやすく整理し、それぞれマーカーで色分け
「例」の部分は薄いグレーで囲むことで、目立ちすぎず控えめすぎないノートに

Advice

文字が読みやすく、余白もとれていて、きれいなレイアウトだと思います。配色というよりは**「見出しを意識する」**ということに気をつけてみてください！

# エピローグ

わーいわーい！　みおりんです。

わたしのブログでは、勉強法にまつわる全記事がこの一文から始まります。「わーいわーい」というのはわたしの幼い頃からの口ぐせで（母には「わーいわーい星人」と呼ばれます）、ブログ自体も『東大みおりんのわーいわーい喫茶』というタイトルになっています。

なんだかアホみたいだな、とは自分でも思うのですが、ふしぎなもので「わーいわーい」と口に出すと、なんだかとても楽しいことをしているような錯覚に陥るんです。だからわたしは、やりたくない勉強をするときには「わーい、がんばろう！」、ちょっとでも勉強が進んだら「わーい、できた！」と積極的に口に出すようにしています。

わたしはＹｏｕＴｕｂｅやブログで勉強法についての情報を発信していますが、常に心に置いているテーマは「**ごきげんに勉強する**」です。優秀であるに越したことはありませんが、それよりも大切なのは、学びを楽しめるということではないでしょうか。わたしは社会人になってもうすぐ2年が経ちますが、大人になってからも勉強ってつづくんだなぁ、と毎日実感しています。一生必要になる勉強というものに対して、自分なりの楽しみ方をもっておくことはとても大切だと感じます。

この本も、「読んでくれた方が少しでもごきげんに勉強できますように」という願いをこめて書きました。さまざまな勉強のコツをご紹介しましたが、「全部実践して、そして1点でも点数を上げなさい！」と押しつける気持ちはまったくありません。それよりも、お伝えした内容で一つでも「これは自分に合っているかも」というものがあったら試してみて、そして「あれ、もしかしたらちょっとだけ勉強が楽しくなったかも」と思ってもらえたらそれがいちばんうれしいです。

この本を読んで、「これを真似してみたらよかった！」「ここはちょっとよくわからなかったぞ」というご感想やコメントがあれば、ぜひ教えていただければと思います。各種SNSを運営しているので、「**#みおりんカフェ**」をつけて投稿していただければ探しに行きます（SNSといえば、わたしはほんとうにSNSが苦手で、プライベートではいまだに使ったことがありません。でも、そうも言っていられないので、いまさらですが勉強しながらがんばって更新しています。ほんと、勉強って一生つづくのよ……)。公式LINEやメールでもメッセージをお待ちしています。

最後になりますが、幼い頃から常にわたしが選ぶ道を全力で応援してくれた両親、在学中も自宅浪人中も快く勉強を教えてくださった母校の先生方にも、ほんとうに感謝しております。本ができあがったら、真っ先に届けたいと思います。

そして、このたびのオファーと最後まで細やかなサポートをしてくださったエクシア出版編集部の松本尚士さん、営業部の小池聡洋さん、かわいらしく読みやすい素敵な本に仕上げてくださったデザイナーの平田治久さん、たくさんのノートや文房具の写真を撮影してくださったカメラマンの加藤陽太郎さんに、この場を借りて心より御礼申し上げます。

この本を手に取ってくれたみなさんが、少しでもごきげんに勉強できますように。陰ながらずっとずっと応援しています。

おりん

# 楽しい勉強法＆ノート術をお届け中！

YouTube

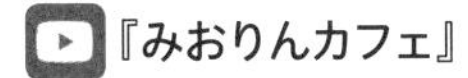

『みおりんカフェ』

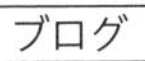

ブログ

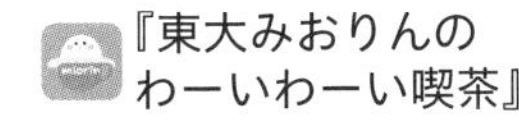

『東大みおりんのわーいわーい喫茶』

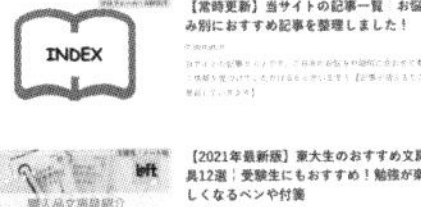


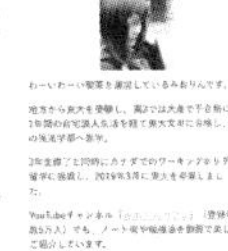

Instagram

@miorin2018

Twitter

@miori_morning

公式 LINE

『東大みおりんカフェ』

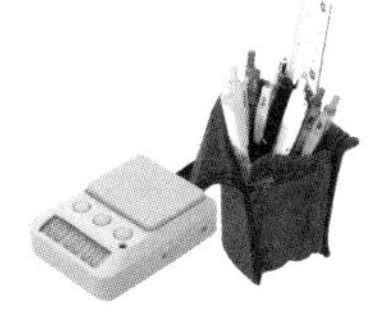

メッセージお待ちしております

メールアドレス miorincoffee1012@gmail.com

著者プロフィール

## みおりん

1994年生まれ。

地方の県立高校から東大を受験するも、現役時は大差で不合格に。予備校には通わず、自宅での独学による浪人を決意。この間、独自のノート術や勉強法を確立し、1年の浪人期間を経て東京大学文科三類に合格。同大学の法学部を卒業後、IT企業で1年半勤務。現在は独立し、「すべての人にごきげんな勉強法を」をモットーに勉強法やノートの活用方法などを発信中。

◎ YouTubeチャンネル▶『みおりんカフェ』
◎ ブログ▶『東大みおりんのわーいわーい喫茶』
◎ Instagram▶@miorin2018
◎ Twitter▶@miori_morning
◎ TikTok▶@miorincafe

STAFF
カバー・本文デザイン・DTP／平田治久（Novo）
写真撮影／加藤陽太郎（アップハーツ株式会社）

Special Thanks〈Part 4にご協力いただいたみなさん〉
なっつんさん　かんなさん　わたあめさん　RE：onさん　ゆーゆさん　花園、夏希さん　ぱつこさん
るんるんさん　himeさん　かほりんニコニコ喫茶さん　琥珀さん　えすさん　あおいさん
ゆうゆさん　ともこさん　万里さん　おまめさん　ソヌさん　あきぽんさん　にゃあかさん
アヤヤさん　ぴーなっつさん　ごまたんさん　めりりんさん　ぴーまんさん　おりんさん（掲載順）

**東大女子のノート術**
**成績がみるみる上がる教科別勉強法**

---

2021年3月28日　初版第1刷発行
2024年6月 6日　　第8刷発行

著　者　**みおりん©**
©MIORIN 2021 Printed in Japan
発行者　**畑中敦子**
発行所　**株式会社 エクシア出版**
〒101-0054　東京都千代田区神田錦町2-1-5-204
印刷・製本　**サンケイ総合印刷株式会社**



ISBN 978-4-908804-70-0　C0037

エクシア出版ホームページ　https://exia-pub.co.jp/
Eメールアドレス　info@exia-pub.co.jp